3·99

I Anwen

Gyda diolch a chofion
annwyl iaun

Aled

Merched y Waur,
~~Bata~~ !
Bermo.

Dim Angen Creu Teledu Yma

Aled Lewis Evans

Cyhoeddiadau Barddas
2006

ⓗ Aled Lewis Evans

Argraffiad cyntaf: 2006

ISBN 1 900437 86 4

Cyhoeddwyd gyda chymorth ariannol
Cyngor Llyfrau Cymru.

Cyhoeddwyd gan Gyhoeddiadau Barddas

Argraffwyd gan Wasg Dinefwr, Llandybïe

Cyflwyniad

Credaf fod y gyfrol yn adlewyrchu rhai o'r cynlluniau a'r digwydd-iadau y bûm yn ffodus i fod yn rhan ohonynt yn y cyfnod diweddar – rhai dathliadau arbennig a theithiau ers i mi gyfuno nifer o elfennau yn fy ngwaith. Er enghraifft, pleser oedd cael sgriptio'r cyflwyniad i *Deufor Gyfarfod* a gyflwynwyd i gofio John Hughes ac Ann Griffiths yn yr Hen Gapel, Pontrobert, ac mae dwy gerdd yn deillio o'r profiad hwnnw – 'Ruth' ac 'Ar y Lôn Hir'. Cerdd gomisiwn ar gyfer ymwel-iad Gŵyl Gerdd Dant Cymru 2006 â'r Stiwt yn Rhosllannerchrugog yw 'Oriel Gresffordd'.

Ymddangosodd 'Eglwys Sagrada Familia' yn *Cerddi'r Byd* (Gomer); 'Y Brawd Mawr' yn *Golwg*. Enillodd 'Breichiau' Gadair Eisteddfod Llanegryn ger Tywyn, ac roedd hyn yn golygu llawer i mi yn hen gynefin fy nhaid, Siôn Ifan. Roedd yr emyn 'Pan gawn weled gwyrth y cread' yn y *Detholiad*, a'r geiriau i ddathlu deugain mlynedd fy hen ysgol, Ysgol Morgan Llwyd, Wrecsam, wedi eu canu gan Gôr yr Ysgol ar achlysur y dathliadau arbennig hynny.

Gobeithio y bydd y casgliad newydd hwn o waith diweddar yn apelio at bob oed, ac y bydd hefyd o ddefnydd i unigolion ac eistedd-fodau ym myd llefaru, yn ogystal â'r darllenydd unigol.

Diolch i Alan Llwyd a Barddas fel pob amser am anogaeth a chefn-ogaeth, a sbardun i gasglu cyfrol newydd ynghyd.

Aled Lewis Evans

Cynnwys

dimondfi.com

Na, dwi'm yn rhan o unrhyw gais i 'Sicrhau'r Cytundeb',
does dim angen cip-ddarllen y print mân ar fy mholisi.
Na, dwi ddim yn rhywbeth y medri'i roi ar dy CV,
a does gen i ddim rhif archeb.
Dwi wirioneddol ddim isio Holiadur gwerthuso ar fy mherfformiad,
does 'run is-destun yn fy ngwên i,
dim ond fi.

Na, dwi ddim yn rhan o'r Cynllun Datblygu,
dwi ddim yn ticio pob un o'r bocsys bob tro.
Gwir yw'r si na allaf bellach ffitio'n hawdd
y tu ôl i fwrdd yn Burger King,
ond does dim awydd bod ar y rhaglen *Makeover*,
er y buasai tipyn o *lypo*'n ddigon handi yn Rhosybol,
dim ond fi.

Yn amlwg rwyt ti'n meddwl 'mod i'n 'sglyfaeth i ffasiwn,
Na, dwi ddim yn *'IBM Compatible'*;
ydi, mae hi'n boenus o amlwg dy fod ti
wedi bod ar y Cwrs Rheoli.
Os felly, dwi'n falch 'mod i'n 'rhy neis', diolch,
sut fagaist ti dy groen eliffant di?
Dim ond fi.

Na, dwi ddim yn cael mensh yn y Cynllun Adrannol Hir Dymor,
dydw i'n sicr ddim yma i chwyddo'r ffigurau gwylio.
Does gen i mo'r 'remit' i Wynedd a Chlwyd fel ti
ond mae croeso i ti ddod i 'ngweld i'n perfformio gyda phob
     cymhelliant.
Na, does dim is-destun yn fy ngharedigrwydd.
Dim ond fi.

Dio'n dy synnu di? Dwi'm isio ennill *Y Wawffactor* na'r X ffactor,
does dim ffactorau eraill i'w hystyried:
a finnau wedi meddwl 'mod i'n fwy na neges ar dy *Post-It*,
yn fwy na throednodyn yn dy Strategaeth.
Dim seboni na llyfu tactegol,

dim cysylltiadau cyfriniol
na rhai teuluol,
dim ond fi.

Fedri di ddim fy mesur mewn *megabytes* na *gigabytes* chwaith,
na fy nghywiro i ar lein efo dy Reolwr Prosiect.
Dydw i ddim yn gallu cael fy lawr-lwytho,
na'm gyrru fel Atodiad ar y band lleta' posib.
Does dim angen gwneud 'cais' ar gyfer y flwyddyn nesa,
dim ond fi.

Byddi di'n falch o glywed – sgen i ddim awydd dy oddiweddyd,
dy ddisodli, dwi'm isio dy swydd di.
Na, nid ffug yw goslef fy llais i –
fel hyn y bydda i'n siarad bob amser.
Na, dwi'm isio dy gân di:
mae gen i fy nghân fy hunan, diolch,
ar dimondfi.com.

Y Brawd Mawr

Maen nhw'n codi criw'r Tŷ dipyn cynt ar ddydd Sadwrn
gan fod angen mwy o wylwyr ar E4;
lleoli'r camerâu i ddangos dim ond digon,
a golygu cyn gweld gormod bob tro.

Am eiliad bob hyn a hyn
anghofi fod y camerâu yno,
fel bywyd cyn i'r Brawd Mawr ddod yn wên deg i'th fyw.
"Ti'n cael mwy o sylw
ar ôl i ti fod ar raglen deledu,
yn enwedig rhaglen mae pawb yn ei gwylio fel hon."

Yn yr Ystafell Fwrw Bol
'chlywir dim ond digon o'th gyfrinachau;
fe'u golygir cyn clywed gormod bob tro.
Trafodir allanolion gwisg a cholur
heb fentro at ddinoethi'r tir anodd hwnnw
y tu mewn.
Ac eithrio'r eiliadau prin
pan anghofi am fodolaeth camera,
eiliadau fydd ar dudalennau tabloid y bore.

Wn i ddim dy enw'n iawn
er dy wylio di 'n gyson,
er clywed dy sôn diniwed y byddi'n arwyddo'r cytundeb
a chyflwyno'r sioe siarad, chwap;
heb eto weld cysgod cleddyf dau-finiog
y tu hwnt i'r parwydydd llygadog.
Fflachiadau o fri parod a feddianna dy fryd heno,
heb synhwyro cysgodion anghofrwydd pob trai.

Sgrechian ffug wrth ddianc o Eden,
cyn i ni anghofio dy wyneb yn llwyr.

Brawd bach gest ti wedi'r cwbl.

Ceffylau Blaen

(Newyddion o'r Sudan adeg darlledu o'r Sioe Fawr, Llanelwedd)

Ar un sianel deledu
darllediad di-dor y ceffylau –
caseg orau'r Sioe
mor dalsyth urddasol
yn y Prif Gylch.
Coroni'r prif farch.
Pencampwr y ceffylau Cymreig.

Fflach newyddion o'r Sudan,
ceffyl â'i gorff yn plygu ar ochr ffordd,
wedi cludo'r ffoaduriaid cyn belled
â'r gwersyll ag urddas
ond yn methu mynd ymhellach.
Plyga'n swp, fel lapio dilledyn mewn siop,
er cael ei godi fel ffrâm drachefn ar ei draed.
Daeth ar enbyd daith at ddiffyg dyfodol,
nes y daw'r bwyd a'r dŵr.

Nes Ymlaen ...

(Medi'r 11eg, Efrog Newydd)

Fe gym'rodd y llwch fisoedd i ddaearu.

Ond pan wnaeth,
ymysg y trawstiau cam
canfuwyd Croes.
Yng nghanol y llanast enbytaf
roedd O yno
yn uniaethu â'r uffern,
a chododd ffenics ei groes barod drachefn o'r llwch.

Lapia breichiau'r fam yn daerach am y baban newydd-anedig
na fydd yn adnabod tad ar faestref Long Island.
Byddant â'r 'cipsain' olaf hwnnw
wedi ei storio yng nghof eu bywydau symudol:
*"Dwi'm yn siŵr a ydw i'n mynd i ddod allan o'r lle 'ma'n fyw.
Wela'i di'n nes ymlaen ..."*

Wrth i Fedi'r unfed ar ddeg Y Mwfi
droi'n realiti di-droi'n-ôl
heb 'run o'r campau wedi eu hystumio,
roedd ei gryfder hunanfeddiannol, dirdynnol
yn ein llorio ni,
ond yn ffenics i'r teulu a rewyd wrth eu teledu
un prynhawn.

"Wela'i di'n nes ymlaen ..."

Dan y Bont

Yn ei llygaid ifanc tryloyw
mae'r cysgod lleiaf
fel sgan yn dal i guro.
Lle ceid dawns balerina ar ddibyn y pyllau dwfn,
mae llif yr afon yn gwrthod tewi.

Gas ganddi glywed llif yr afon,
ond rhaid dod yma unwaith y flwyddyn
ar y dyddiad.
Llachar a chiaidd yw'r afon ar y dydd,
bu mor siriol ddechrau'r haf hwnnw.

Ffrind hoyw iddi sy'n gwneud iddi chwerthin fel arfer
â thatŵ newydd ei dorri
yn diferu ar ei gnawd ifanc
sy'n barod i neidio o bont grasboeth ha' sylweddoliad.
Trefnodd hithau gyfweliadau iddi'i hun
mewn ffatrïoedd stwffio cywion
i helpu llenwi meddwl unrhyw ha' bach Mihangel.

Ond mae tatŵ oddi mewn iddi hi bellach
a'r llif mor euog, gyhuddgar heddiw,
yn dod yn ôl i'r wyneb yn llifeiriant hydref.
Dagrau chwerw'r methu dweud –
fe fuon nhw'n syndod o glên yn y clinic diarth, glân.
Heb yn wybod i neb, dim ond ei ffrind hoyw.
Bu'r baich yn drwm ar hyd y nosweithiau.

Dwrdio a wna'r llif,
a'r afon yn ferw fel pair.
Roedd hi'n dal isio boddi yn seiniau'r sgertiau cwta:
"I'm a Barbie Doll in a Barbie World",
dychwelyd at ddyddiau penrhydd y *Macarena*.

Y llencyn gadd ei wrthod.

Bu rhan ohoni
eisiau esgyn ar frig ton ei wên o.

Nid diawl tabloid mohono i gyd,
ond roedd hi wedi adnabod y gallu i wneud hebddo
oddi mewn iddi,
y gallu oer hwnnw y tu ôl i'w gwên,
y gallu i fod yn galed heb hidio
a'r pŵer a'i dyrchafai mewn gyrfa
pan fflachiai ei llygaid
fel bedw arian ar gefnlen llwyd.

Weithiau'n goch-frown yn ei dychymyg,
weithiau'n gelloedd annelwig,
ei herthyliad sy'n corddi fel trobwll cudd,
yn fwgan yng nghysgodion duaf clwb nos y presennol.

Gwena ei chyfaill yn fodlon o ddŵr atgofion,
roedd hi'n smalio hyd yn oed iddo fo,
y digrifwr yn ymgolli yn nisgleirdeb dydd o haf o'r bont,
enfys yn goleuo conglau ei lygaid mentrus,
ei datŵ yn diferu dagrau clown.
Mwythai hithau ei bol ond roedd hi wedi penderfynu.
Rhoddai wên babi dol i'w fodloni,
a chwerthin yn yr hen fannau priodol.

Lena Zavaroni

(Magwyd Lena yn Rothesay ar Ynys Bute yn yr Alban,
cyn dod i amlygrwydd yn hynod ifanc ar y sioeau teledu
Opportunity Knocks a *Junior Showtime*)

Roedd rhywbeth yn drist ar yr Ynys,
glan y môr gwag,
llwydni yng ngwacter y stand,
a bordiau ar yr hen dŷ,
y Pafiliwn wedi gweld dyddiau gwell.

Ac eto i drigolion yr Ynys bell
Lena oedd y ferch a lwyddodd ar y Tir Mawr,
y ferch fach a gyrhaeddodd y pinaclau
efo *Morecambe and Wise*,
crwydro Siapan,
ym mreichiau Frank Sinatra un munud,
cyn cael canu i'r Arlywydd fel Shirley Temple:
"Ma, he's making eyes at me . . ."
Yr ieuengaf yn ddeuddeg oed
i fod ar y brig yn y *Royal Variety*.

A thrwyddo i gyd,
roedd rhyw dristwch,
tristwch pell yr Ynys.
Y brifo
y tu hwnt i'r ieuenctid na chafwyd mohono
ac a'i gyrrodd
i fynnu pŵer drwy beidio â bwyta,
y grym a guddiai'r broblem ddyfnach.
Yn ei drych hi fe welai ddelwedd wahanol.

Mor ifanc y dihangodd Lena o'r Ynys
at reolwraig y cytundebau
a ddaeth yn fam faeth o fath
yn y ddinas bell,
tra dawnsiai hithau ar *Good Ship Lollipop*
poblogrwydd tywydd mwyn y dydd.

Ni fedrodd ddychwelyd i'r Ynys,
roedd gormod o gerrynt i'w hyrddio yma ac acw.
Yr ynys dawel
lle cyflawnodd ei mam hunanladdiad
ar gefnlen ei bri.

Wedi'r cyfnod mewn clinig tramor,
wedi'r addewid am driniaeth i'r ymennydd,
er gwaethaf ing ei chân 'Going Nowhere'
ar berfformiad prin fideo cartref sigledig,
er gwaethaf sgerbwd y gwir,
yn ei drych hi fe welai ddelwedd wahanol.

Ond daeth awydd cyn diwedd ei hoes
cyn i'r afiechyd ar ei brest
oresgyn ei gwendid,
awydd bach a fynegwyd i'w thad
am fod isio mynd draw at yr ynys arall yn y bae –
am fod isio gwella.

Am gymryd fferi yn ôl i Bute efallai,
adfer gwydrau yn y tŷ,
rhoi sglein ei henw eto
yn llachar y tu allan i'r Pafiliwn,
a chael yr ynyswyr eto yn gwrando arni:
"Ma, he's making eyes at me . . ."
Poblogi drachefn y rhodfa wag,
a chyrraedd tir
lle nad oedd llwydni a dirywiad
a lle'r oedd yr hyn sy'n medru'n brifo mor hawdd
fel clais amryliw yn dechrau codi.

Dal yn 'A Seren' i Mi

Mae bywyd ifanc heddiw yn llawn i'r ymylon,
a gwn dy fod yn cael dy dynnu bob ffordd.
Ond beth bynnag a benderfyni mewn bywyd,
a pha drywydd bynnag a aiff â'th fryd,
rwyt ti'n dal yn A seren i mi,
cyn belled â'th fod ti yn hapus,
fe fyddi'n dal yn A seren i mi.

Falle y byddi di'n ailsefyll Mathemateg,
yn cael ffug arholiadau di-rif.
Mi ddaw ar dy lwybr amryw brofion,
gwaith cartref i lenwi dy fryd.
Ond er gwaethaf holl bwysau'r cymwysterau,
y Tasau, TGAU, lefel A –
rwyt ti wastad yn A seren i mi.

Dwi am i ti wybod yn awr
os methi bob prawf ac arholiad
dy fod yn dal yn A seren i mi,
yn wastad yn A seren i mi.
Rwyt ti'n A, falle B, i bawb arall,
C neu D, efallai, pwy a ŵyr?
Ond yn y byd 'ma sy'n gallu bod mor galed,
rwyt ti'n dal yn A seren i mi.

Ieuenctid

(Addasiad o eiriau'r Adroddwr yn *Blood Brothers* Willy Russell)

Mae gen ti dipyn o bres yn dy boced a ffrindiau da,
ac mae'r haf fel petai am bara am byth.
Ifanc, rhydd a diniwed, heb ofal yn y byd,
heblaw am benderfynu pa ddillad i'w gwisgo.
Mae'r stryd yn Baradwys, a'r radio'n seinio dy freuddwydion.
Ti'n ddiniwed, anfarwol, pan wyt yn bymtheg oed.

A phwy fasa'n meiddio dweud wrth ŵyn yn y gwanwyn
pa dynged a fydd â'r tymhorau efallai yn dod?
Pwy ddywedai wrth y ferch yng nghanol y pâr
y pris y bydd raid iddi'i dalu am fod yno'n bod?

Ond gad lonydd iddyn nhw, gad iddyn nhw chwarae,
'Dyn nhw'n hidio dim am yr hyn sydd ar ddiwedd y dydd,
am yr hyn sydd i ddod, am beth allai fod,
mae bywyd yn ddiderfyn pan wyt ti'n swil un ar bymtheg oed,
ac mae dy ffrindiau i gyd yn gwmni i siarad drwy'r nos
neu nes bod *Chippy* Mrs Wong yn diffodd ei goleuadau.
Wedyn mae 'na wastad y gornel o dan olau lamp y stryd
ac awr i'w threulio, efo'r ffrindiau, efo hi,
i rannu dy sigarét olaf a'th freuddwyd gudd
am hanner nos yn ddwy ar bymtheg oed.

Dim ond trip fferi arall, neu wibdaith i'r traeth.
Mae popeth yn bosib, y byd o fewn cyrraedd,
a dwyt ti ddim yn sylwi ar boteli wedi'u malu yn y tywod
nac ar yr olew'n y dŵr, a fedri di ddim deall
sut y gall byw fod yn ddim byd gwahanol i freuddwyd
pan wyt ti'n ifanc, rhydd a diniwed, a dim ond yn ddeunaw oed.

A phetai'r tri ohonyn nhw'n gallu aros fel'na am byth,
a phetaem ni'n gallu rhagweld dim newid yn y tywydd,
a phetaem ni ddim yn byw yn yr hyn a alwn yn fywyd, ond mewn
    breuddwyd,
petaem ni'n medru rhewi'r ffrâm, a bod yn ddeunaw am byth.

Athro

Cofio

Mi dreuliais i bum mlynedd
yn dy gofrestru di,
a rwan rwyt ti'n fy mhasio ar y stryd
fel lwmp o gachu.

Fi oedd yr un a gofnododd dy gyrhaeddiad,
a geisiodd gip ar dy freuddwyd,
a rwan rwyt ti'n mynd y ffordd arall heibio.

A minnau yn dysgu mwy amdanat
mewn ennyd heddiw
nag yn y pum mlynedd o alw dy enw
a chofnodi dy ffurflenni twt.

Benthyg

Yr ambell awr ginio arbennig,
y pen-blwydd neu'r achlysur a ddathlwyd,
yr ambell wên ddyfnach ar goridor,
yr adegau prin hynny pan ydym yn gwirioneddol
helpu rhywun arall ac yn cael cyfle i ganmol.

Eu benthyg nhw
'dan ni, athrawon,
eu benthyg nhw
am amser byr,
ac efallai ryw ddydd
yng nghornel annisgwyl ein byw a'n bod,
daw un i ddweud 'Helo' a chawn funudau cyforiog
fel ambell awr uwch na'r gweddill
yn yr ysgol gynt.

Disgybl

(efo athro llanw)

Ef oedd y trugaredd ymhob dosbarth
a ddywedai nad oedd o am gam-ymddwyn fel y lleill,
a ddywedai ei fod eisiau dysgu,
a ddeuai i ddweud hyn wrthych heb grafu
pan oedd y wers ar ben,
a arhosai ar ôl i gadw'r llyfrau,
a sylwai fod ymddygiad y plant eraill yn annerbyniol.

Ef a'i debyg yw'r werddon yn yr anialwch
sy'n gwneud dysgu yn bosibl.
Trugaredd mewn gwisg o gnawd.

Bob Blwyddyn

(Pryd o fwyd ar ddiwedd cwrs Lefel A, Pant yr Ochain, Wrecsam)

Dweud y byddwn ni'n cyfarfod
bob blwyddyn yr un adeg,
achos mae'n haws dweud wrth feddyliau ifanc
y byddwn yn cwrdd
na sôn am siom gwahanu, ymbellhau
a'r newid a ddaw yn ein syniadau ni
a'n dirnadaeth o berthyn i'r hyn a fu.

Ond am heno
fe gyfarfyddwn bob blwyddyn
y noson hon
i barhau uniad y presennol,
heb amau am funud
nad felly y bydd hi.
Wnawn ni ddim gadael i arlliw o fwgan
bylu gwin y gwmnïaeth heno:
"Ia, bob blwyddyn, y noson hon".

21

Boney M yn Queensferry

(Cyngerdd yng Nghanolfan Sglefrio Iâ, Glannau Dyfrdwy, 1979)

Drwy'r dydd yn aros am Boney M,
yng nghaffiau Glannau Dyfrdwy
rhag ofn iddyn nhw ddigwydd taro i mewn.
Mor ddiniwed oeddem yn syllu ar y Drws Llwyfan
gan feddwl y caem gip ar eu gwisgoedd lliwgar ben bore.
Boney M.

Treulio'r dydd hir yn yr haul
yn gwrando ar y criw arall eiddgar
yn brolio ar siglenni'r prynhawn
eu bod nhw'n ffrindiau efo Boney M,
efo cerdyn i gael mynd i'r cefn i'w gweld.

Edrych ar bob car a gyrhaeddai.
Dwys ystyried a oeddent i mewn yn yr adeilad yn barod.
Mae'n siŵr eu bod nhw'n cael grêt o amser
yn gweld y byd,
Boney M.

Yn benllanw ar y dydd, hud y cyngerdd ei hun,
a chlwb nos lle unwaith bu'r iâ.
El Lute, I'm Born Again,
Rasputin a *Rivers of Babylon*
yn cynhesu'n traed, ar y llwyfan unnos.
Tynnu eu lluniau yn ddotiau amryliw
efo'r camera cyntaf.
Y cyfan yn gwneud iawn
am beidio â chyfarfod â Boney M
drwy'r hir brynhawn.

Ac er nad oeddent
yn swnio'n union fel eu recordiau,
nac yn edrych fel yr union bobl ar gloriau'r albymau,
roedd eu *Ma Baker* a'u *Daddy* mor *Cool.*
Cawsom wneud y symudiadau
a chanu yn y môr o gantorion, a gyd-ganai.

'Brown girl in the ring. Tra la la la la . . .'

Morio canu alawon maboed
yn y wlad hyfryd honno
lle nad oes dim yn brifo,
dim newid mewn cyfeillgarwch,
dim pellhau a dieithrio:
pob yfory fel caneuon y curiadau pendant,
fel Boney M yn y 'Fferi.

Y Cwestiwn

Roedd naws ei edrychiad yn wahanol
flynyddoedd wedyn.
Fe'i paratôdd ei hun am y cwestiwn:

"Dwi wedi bod yn meddwl gofyn ers amser . . ."

Un o seibiau bywyd.

"Ga' i eich galw chi'n 'ti' rwan
yn lle 'chi'?

Hen athro yn ateb yn syth:
"Wrth gwrs . . . Ti bob amser o hyn ymlaen."

"Roeddwn i'n meddwl y buasech chi . . . y buaset ti'n hoffi hynny."

Chwedlau

"That Morwyn Llyn y Fan
was dead tight on him.
Dead shady. I'd 'ave biffed her one.
Wnaeth o ddim ond cyffwrdd hi tair gwaith *like."*

Wythnos nesa mi fyddwn ni'n darllen
Chwedl Macsen Wledig.

"Oh ay, and who's he when he's at home?
Is he 'ard? Does he live down Queen's Park?"

Yndi Daryl,
mae o'n *dead 'ard.*
Enw'i gariad o ydi Pamela Anderson,
ac maen nhw'n byw yng Nghaernarfon.

"Dwi'n *gutted.*
Roeddwn i wastad yn meddwl fod Pammy yn cariad fi *like* ..."

Eira

(Eira'n disgyn yn ystod bore o Weithdy Ysgrifennu
yn Ysgol Morgan Llwyd, Wrecsam)

Minnau'n plethu geiriau â'r dosbarth,
eu cael i'w goglais er mwyn pleser
i lenwi'r dudalen wag, wen â'u dawns.

I ganol hyn
daeth gwestai gwyn y tu allan i'r ffenest
i lynu wrth eu dychymyg,
i hudo'r beirdd o'r llwydni
â hen atyniad rhythmau'r ddaear
yn farddoniaeth i gyd;

dyfodiad y gwynder hwnnw yn eu rhyddhau
ag asbri a chwilfrydedd,
fel pair creu'r bardd.
Amser egwyl, cafwyd plant yn dawnsio ynddo,
dawnsio fel petai tragwyddoldeb yn goferu am ryw ychydig
ac amser yn simsanu.
Plant wedi eu dal y tu hwnt i eiriau.

Diwrnod hir, bythgofiadwy,
oherwydd y gwestai gwyn.
Diwrnod cael eich gyrru adre o'r ysgol.

Gwyneth

Gwyneth yn ei hanhrefn fanwl, ddifyr,
yn ein gwahodd i'r Ffreutur cynnes,
o amgylch gwresogydd ei phersonoliaeth.

Dangosodd yno'r geiriau yn ei bag
am yr un set o olion traed yn y tywod
a fu'n ei chynnal
wedi marwolaeth ifanc ei gŵr.

Nawr yn nes at ei theulu
crwydrai ddinas Lerpwl
o Eglwys y Cei hyd Heathfield Road.
Crwydro o enwad i gyfarfod
yn ofni na fyddai'r un gwrandawiad i'r Beibl
gan genhedlaeth newydd.

O'r bag plastig trwsgl
yn y gornel wresog uwch paned
trosglwyddodd i mi Feibl Teulu Peter Williams
yn gowdal trwm i mi fynd adre.
"Bydd yn golygu mwy i chi."
Ei hunig eiriau dethol.

Ufuddheais
fel ar y cae ysgol amser cinio gynt,
lle bu Gwyneth yn ein difyrru ninnau'r plant
efo'i storïau am Dudra'th a lluniau o'i hannwyl 'Dadi'.

Ufuddhau,
a thristáu fod rhywbeth hefyd yn dod i ben
ar Lannau Merswy,
a chlwy ei hiraeth am ŵr ifanc a Chymru
yn dal yn Nanhyfer o goch
fel inc y cofnodion anorffenedig
yn y Beibl Mawr.

Hogan Galad

Yr hen edrychiad oer hwnnw
sy'n rhewi-edrych drwoch,
ac yn gwneud iddi hi grynu
wedi troi'r gornel.
Vicky Pollard o fyd, heb y chwerthin.

"Paid meddwl fod ti'n mynd i fynd dim nes,
dwyt ti ddim yn athro iawn,
dim ond athro llanw,
a dw i wrth fy modd yn chwarae efo *subs*."

Dim teimlad yn y llais,
dim yr agen leiaf o gydymdeimlad
a welir weithiau ar wep disgyblion,
dim y milimedr lleiaf o gyfaddawd,
dim y gronyn lleiaf o lacio gafael
ar fetel oer ei hedrychiad.
Mêl ar fysedd yw cael snybio
rhywun o'r ysgol yn y Dre,
edrych reit drwyddyn nhw.
Eu gwneud mor anweledig â hi.

Hogan galad
uffarotsganddiamathrawon
uffarotsganddiamneb.
Hogan galad ar gyffuriau heno
i gynhesu tipyn bach ar ei byd.

"Dwi'n casáu'r twll lle 'ma."
Ei hen warchae am y dosbarth,
pigotrwynaffliciofo ar bwy bynnag.
Fydd neb yn herio,
neb yn mentro
trwy'r dur diemosiwn o wyneb.
Fe gafodd ddianc o'r 'twll' unwaith,
ond fe ddaeth hi'n ôl mewn wythnos
o'r ysgol arall yn y Dre,

achos fod 'na hogan g'letach yno na hi
oedd yn rhoi amser calad iddi.

Mae ganddi hi'r hawl i dorri ar draws y dosbarth,
sefyll wrth y drws yn cnoi, a rhegi ar athrawon.
Mae ganddi hi'r cerdyn sy'n gadael iddi gerdded
        yn hunanfeddiannol
o ddosbarth i gael amser tawel yn smocio yn y bog
mewn unrhyw wers mae hi isio.

Mor galad arni hi ei hun,
mwynhau gweld y lleill yn rhedeg iddi,
gyrru rhai merched bach
yn ei blwyddyn adre'n sâl.

Chwerthin yn wag a diedifar
ar gar ei mêt
yn refio'n ddefodol heibio i McDonalds
yn ddi-hid o'r twmpathau ar y ffordd.
Uffarootsganddofo.

Ar ddiwedd dydd
mae'n gwrando ar 'Everybody hurts sometimes'
ar radio'r nos;
yn ceisio gweld rhyw fyd
lle mae 'na dipyn bach o fwynder ynddo.

Uffarootsganneb.

Jessica a Holly

(Eu cofio mewn oedfa yn Rhosllannerchrugog)

Dymuniad byrfyfyr y Chwiorydd
oedd cynnwys dau emyn plant
er nad oedd plant y bore hwnnw.

'Mae'r Iesu yn derbyn
plant bychain o hyd:
Hosanna i enw
Gwaredwr y byd!'

Hen gnau'r hydref aeddfed
yn eu ffrogiau ha'
yn cofio blodau'u dyddiau hwy,
ac ymhlyg yn y cofio roedd Jessica a Holly
a phob plentyn arall a gollir.

Y ddwy dlos â'u crysau Beckham
a aeth ar angheuol olaf taith.
Y llygaid disgwylgar cyforiog
yn y ffotograff anffurfiol hwnnw
a dynnwyd ar awr mor dyngedfennol o ddi-droi'n-ôl
a fydd ar ymwybod pobl byth
yn bedwar munud wedi pump.

Cofio'r urddas, cofio'r gerdd,
cofio'r Eglwys yn ganolog yng ngwewyr Soham.
Cofio'r angor ffydd rhieni,
a'u hurddas dyrys
yn wyneb y fath fryntni.

'Gadewch i blant bychain
ddod ataf,' medd ef,
'cans eiddo'r cyfryw
yw teyrnas y nef.'
Dewis diffuant o emynau maboed
a wnaeth i ddiniweidrwydd sgleinio
fel pren y capel heddiw,

a'r oedfa annisgwyl yn fy nghyffwrdd,
y tu hwnt i'm rheolaeth yn llwyr
fel y mae'r oedfaon gwirioneddol gofiadwy.

'Dechreuir y gynghanedd
ac ni bydd wylo mwy,
a Duw a sych bob deigryn
oddi wrth eu llygaid hwy.

Bydd canu yn y nefoedd
pan ddelo'r plant ynghyd,
y rhai fu oddi cartref
o dŷ eu Tad cyhyd.'

A'r gair 'Soham' hwnnw
am orig
yn colli ei ofnadwyaeth a'i rym.

Cyfarchiad dros ben Llestri

(Ym mhriodas Karina Perry ac Aled Wyn Davies
yng Nghiliau Aeron)

Haia, *Miss* – ti'n cofio fi?
Un o fois y ffin.
Dwi'n *gutted* 'mod i'n methu bod yno – *in the* cnawd *like* – efo ti.
ond mae'n *dead mint* cael gyrru hwn.
Dwi'n siŵr bod ti'n cofio fi!

Wnest ti yrru fi i lle dwi'n sgwennu hwn –
the bleedin' Ganolfan Gosb,
pan oeddwn i'n getio ar dy *nerves* di,
a'r ffeiliau'n pwyso yn y drôrs.
Doeddwn i ddim yn golygu rhoi jîp *at all* –
tynnu coes oedd deud "Be' ti fel, *Miss*?"
Wnes i ddim deall "Ti'n hala fi'n grac"
and all that "Becso oboiti ti".
I'd never 'eard of that before.

Dwi'n *gutted* i fod yn y Ganolfan Gosb *like*
(hyd yn oed yn y gwyliau);
mae'n *dead tight* a *shady* arna i,
mae'r *crappy* Ganolfan 'ma'n *minging*
a dwi yma tan o leia' Medi!
There's no food in the Ffreutur at Egwyl,
I can't sit adolygu-*ing all day*,
No one in the Llyfrgell, *no* Gwasanaeth
felly dyna benderfynu sgwennu atat ti.

Mae'n *ace* fod ti yn priodi,
ac mae ffrind fi 'di clywed am dy *thrill*
bod ti'n priodi'r *famous singer* 'na
yn yr 'Annie' *play* 'na yn Rhyl.
Fydd dim rhaid i ti gael Michelle o *Pop Idol*
i ganu ar y dydd mawr,
mae gen ti ganwr dy hunan –
un sy'n 'gigio' yn y Steddfod.

Er 'mod i'n dal yn *Cell Block H*
I'm 'Yma o Hyd' *like that song*.
Roeddwn i jyst isio i ti wybod – *all right* –
bod ni'n colli ti'n Wrexham, *now you've gone*.

Miss Perry – wel, Mrs Davies *now like*,
(a Mr Davies – *alright la*'?)
mae gwneud hyn yn really reit *cool*,
y ffŵl yn cael dweud 'Helo' ar y dydd,
yn cael bod yn rhan o'ch gŵyl.

Sorri am wneud pen ti mewn, *Miss. No offence meant, OK*?
Gobeithio y cewch chi benwythnos *lush* yno yn y De.

Oh ay, a bron i mi anghofio deud –
roeddwn i isio diolch i ti am ddal i'n hoffi i
er nad oeddwn i'n *dead good* at Gymraeg
na'n barddonwr bril fel ti.

Popeth Llai na Phunt

Dacw'r hogyn sydd â'i Nadolig i gyd
yn dod o fagiau mawr Poundland.
Mae'n cael ei yrru o'u hamgylch i gyd,
'Everything You Want',
ac mae ar ei ffordd i'r 'Siop 99 ceiniog'
yn y ganolfan sgleiniog newydd yn y Dre.

Ond Poundland yw ei ffefryn,
achos yno mae'n cael naws y Nadolig
yn y goleuadau cynnes
a'r tâp llon egnïol *'Step into Christmas*
Step into Christmas . . .'
Yno rhwng y cownteri
yn ei hyder hŷn na'i ddeuddeg oed,
mae'n ceisio'r anrheg bwysicaf –
tipyn o gyfeillgarwch y Nadolig hwn.

'Merry Christmas every one . . .'

Y wên a geir gan y weinyddes yn Poundland
sydd bellach yn dod i'w nabod o,
a'r hogyn o'r Chweched Dosbarth,
a arferai edrych allan amdano
ar fuarth yr ysgol.
Yr hogyn sy'n rhoi ei wyneb ar ffenest y dosbarth
a thynnu tafod yn annwyl ar yr athro
sy'n nabod ei dad o.

'All I want for Christmas is you . . .'

Wedi cael llond bol ar siopau
lle mae popeth yn bunt,
ei sylw yn bunt a deflir ato,
ei gariad yn bunt,
ac yn y gwacter mae'n tyfu,
'bod yn ddyn' yn disgwyl yn yr ochrau.

Cofiwn ar drothwy Gŵyl am un arall
a gafodd ddechreuad 'Popeth llai na phunt' hefyd
mewn crud benthyg.
Ond am heddiw,
fe rown ni bigiadau yn y gwallt,
gweld pa fargeinion sydd ar gael yn Poundland.
Gweld a welwn ni'r ddynes glên a'r boi o'r Chweched.

'Oh, I wish it could be Christmas every day . . . ay . . . ay'

Y Stwff y Gwëir
Breuddwydion Ohono

Gwibdaith ysgol i Lundain
i weld *An Inspector Calls*.
Preliwd i garwriaethau cynnar
pedair ar bymtheg oed.
Y stwff y gwëir breuddwydion ohono.

Pedair awr yno, ac yn ôl,
yn rhannu sedd efo hi,
y pwyso-ar-ysgwydd cyntaf,
cau llygaid a sbecian ar y naill a'r llall yn y gwyll.
Y stwff y gwëir breuddwydion ohono.

A'r ffordd 'nôl
yn y tywyllwch,
a'r athrawon yn saff yn y blaen,
a chaffi'r draffordd yn pellhau,
y mentro'n nes.
Y stwff y gwëir breuddwydion ohono.

Swigod

(Luke Walmsley, pedair ar ddeg oed o Ysgol Birbeck, Swydd Lincoln.
Trywanwyd Luke i farwolaeth yn yr ysgol gan gyd-ddisgybl.
Yn y papur gwelwyd llun ohono'n chwythu swigod.)

Mae llun ohonot yn chwythu swigod.
Swigod tyner tryloyw yn cael eu chwythu i'r awyr,
fel bywyd ar ddechrau.

Swigod brau ieuenctid na flodeuodd,
swigod o freuddwydion
yn fwrlwm,
yn holl egni byw.

Yn y gwasanaeth
cofiodd dy Dad a'r Prifathro am swigod o sgyrsiau:
"Dim ond un cynnig a gawn ni ar fywyd,
felly mae'n rhaid i ni ei fwynhau," meddet tithau.

Fe wnest y mwyaf
o'r swigod byr hynny a ddaeth i'th ran
ym mharti byr bywyd.

Y swigod oll a ddiflannodd
efo un trywaniad
drwy'r galon
un dydd yn yr ysgol.

Ôl dagrau ar ruddiau cyfoeswyr,
fel swigod gwlyb yn taro wal.
Ar ddiwrnod a gychwynnodd efo'r cofrestru arferol,
chwalwr swigod dy gyfnod di
yn un o'th gyfoedion.

Swigod o freuddwydion tryloyw,
rhai yn ddim ond megis dechrau
dal yr haul.

Y Wers Olaf

(Gorffen fel athro sefydlog yn Ysgol Morgan Llwyd, Haf 2000, ar ôl un
ar ddeg o flynyddoedd yno. Roedd yr ysgol hefyd yn paratoi i symud
    safle yn wyneb y cynnydd disgyblion i safle Cartrefle.)

Roedd yn beth da fod eu byd yn llawn haf,
a'u meddwl ar wythnosau diysgol.
Roedd yn beth da eu bod nhw'n edrych drwy wydrau caban
ac yn gweld chwe wythnos o ryddid o'u blaenau,
yn chwarae cardiau ac yn gwylio fideo *Airplane*,
y diwrnod hwnnw.
Roedden nhw'n edrych ymlaen at adeiladau ysgol newydd sbon
a minnau'n tacluso bocsys fy myd i symud ymlaen.

Roedd hi'n haws rywsut gan fod pawb ar symud,
ac roeddwn i'n falch fod y ffarwelio swyddogol wedi bod yn sydyn,
nid yn gymeradwyaeth ddiddiwedd, fyddarol, ddagreuol.
Doedd neb yn medru eistedd ac ystyried gormod y bore hwnnw,
achos roedd cadeiriau'r Neuadd i gyd wedi eu pacio
a'r Gwasanaeth yn un brysiog.
Roedd yn beth da ei bod hi'n braf y tu allan,
a phopeth yn ddigon twt yn ei le,
hyd nes y daeth cwestiwn gan y lleiaf tebygol o ddisgyblion,
"Syr, ydi hyn yn golygu na welwn ni ti byth eto?"

Ysgol y Gororau

(Ysgol Morgan Llwyd, Wrecsam, yn 40 oed yn 2003)

Dathlwn glod y Cymry eiddgar
A fu'n arwain y crwsâd,
Cadw'r iaith yn fyw ym Maelor,
Diogelu ei pharhad.
Ymgodymu â phroblemau,
Ennill tir o gam i gam,
Nes gwireddu eu dymuniad:
Addysg plant yn iaith eu mam.

Mae ei gwreiddiau'n gadarn bellach
Yn y tir gerllaw y ffin;
A'i dylanwad yn lledaenu
I wrthsefyll dyddiau blin.
Boed i lwyddiant cyfnod cynnar
Godi'r nod â hyder llawn,
Creu cymdeithas deg ei gwerthoedd
Gan fynwesu dysg a dawn.

Egwyl fer yn nhreigl amser
Ydyw'r garreg filltir hon,
Ond mae pleser yn y cofio
A rhyw falchder dan y fron.
Y mae'r ysgol heddiw'n gwarchod
Hen Gymreictod deau Clwyd
A'i disgyblion yn cefnogi
Brwd obeithion Morgan Llwyd.

Cytgan:
Henffych, ysgol y gororau,
Eiddot yw ein parch a'n bri;
Anrhydeddwn dy aeddfedrwydd,
Seinio 'wnawn dy orchest di.

Y Darn cyn i'r Promenâd Gychwyn

(Bywyd teuluol plentyndod Awelfryn, Ffordd Llanrhos,
Bae Penrhyn, 1966-1968)

Cofiaf Mam yn dweud
ar y ffordd i Ysgol Morfa Rhianedd:
"Drycha ar y môr yn wyllt heddiw.
Fydda i'n licio gweld y tonnau fel'na,"
yn y rhan honno o draeth Llandudno
cyn i'r Promenâd ddechrau.

Ac mae'n braf eto heddiw,
ddegawdau wedyn
ar y rhan honno o'r cof
cyn i'r Promenâd gychwyn,
cyn i bromenâd y presennol
fwyta ei goncrit a'i dar
i dir amrwd, bythol ir, atgof.
Ar ddiwrnod pan mae'r môr yn wyllt,
heb gymryd dim cyfrif o'r hyn sy'n digwydd
ar Dir Mawr y dydd.

Ac fe ddown ni oll
at y darn hwnnw cyn i'r Promenâd ddechrau,
y darn hwn sy'n dal yn amrwd ddigyfnewid yn ein galar,
fel heli ar raean
neu donnau draw ar y Gogarth Fawr.
Y darn hwnnw sy'n ein dal heb i ni ei ddisgwyl,
cyn i gaeau Bodafon ildio'n westai a phwll padlo mwy arferol.

Y darn hwnnw o'r traeth lle mae popeth fel yr oedd o,
ar ddiwrnod gwyntog rhwng môr a chraig,
glan ac atgof.

Dotiau

(Dychwelyd i'r Bermo ac Ardudwy ganol gaeaf)

Dotiau
yn yr awyr
i'n harwain tua thref.
Fel dotiau cyfarwydd yn y pos mawr.

Mae dotiau agosach eto,
mwy cyfarwydd ym mhos bach ein dyddiau,
gwyddom am eu lleoliad,
ac ildiwn i'w disgwyliadau.

Dotiau perthyn
ar hyd y foryd
fel y bu erioed.
Cyfannedd
fel goleuni croeso yng nghanol düwch Rhagfyr.

Dotiau â'r llinellau eisoes wedi eu cysylltu.

Tyddyn Llidiart

(Mynd gyda Dad i hen gynefin y teulu yn Ardudwy)

Saif dwy lidiart a grid gwartheg o'r ffordd fawr.
Rhaid mynd heibio i wich giatiau'r cenedlaethau
er mwyn cyrraedd y tyddyn
a baentiwyd yn haf yn yr holl ddarluniau ohono.
y Dad ifanc a wyddai bob arlliw o'r ffordd,
y troadau, y pantiau, y giatiau, a'i phobl.

"Fe ddylai fod yn dod i'r golwg
rownd y tro.
Dacw Uwchlaw'r Coed, hen dŷ Nain."

Mae un lôn wledig sy'n briffordd heddiw
ym meddwl fy nhad,

a'i sylfaen yn wastadol newydd,
yn arwain at graidd atgofion.

Tyddyn a ddyluniwyd â Chariad
yn nyfrlliw'r hafau melyn.
Caredigrwydd ac anwyldeb y bobl
rhwng y muriau, ac ar yr erwau hyn –
mwynder teulu Nain,
doniolwch Dewyrth Ifan,
"Hwn oedd y *lle* i ddod am wyliau
pan oeddem yn blant."
Y tylwyth a roddwyd i bridd eu bro yn ôl.

Y gymdeithas
fel dŵr y ffynnon yn yr haf,
a chyfannedd aelwyd yn y gaeaf.
Wynebwyd yr erwau egr hyn
â chadernid ffydd.

Bu Dewyrth Ifan yn gymaint rhan o chwedloniaeth bro –
ei yrru hyd y lonydd waliog yn ddiarhebol
a'i grebwyll gwladaidd mor gartrefol
â'i ddwy law a orweddai dros ei gilydd
wrth wrando yn sêt fawr y Gwynfryn.
Mwyneidd-dra dealltwriaeth yn y llygad direidus
a fu gynt yn dawnsio dros gaeau,
posibiliadau tynnu coes a mwynhau byw.

"Fethodd o 'run cynhaeaf."
Ni fethodd fwynder yr un machlud
ar erwau'r Tyddyn ychwaith,
ac fe wynebodd y cynhaeaf olaf
mewn mwyneidd-dra cwsg.

Dyma'r fro lle mae galar ddoe
mor agos ac eto mor bell
â'r machlud aur yn y Bae.
Y byd sy'n dal
dwy lidiart a grid gwartheg o'r ffordd fawr.

"Doedd 'na ddim menyn fel menyn Tyddyn Llidiart.
Roedden ni'n hoffi gweld y ceffyl
yn troi'r corddwr yng nghornel y cae,
a Dodo Susanna
yn yr hen luniau du a gwyn
yn edrych yn union fel Mam.

A dacw hen gapel bach Ty'n Drain
lle'r oedden nhw'n arfer cael Ysgol Sul
ryw ganrif yn ôl
i sbario cerdded yr holl ffordd i Wynfryn.

Na, doedd 'na ddim menyn fel menyn Tyddyn Llidiart."

Minnau'n falch o ganfod fod y menyn meddal
yn dal yn rhan o gyfansoddiad fy nhad
er gwaetha'r blynyddoedd,
y rhyfel, a'r rheoli.
Min lleiaf deigryn yn rhygnu yn ei atgofion,
fel buddai yn troi.

Dychwelwn dros y ffridd
a chanfod y briffordd honno,
a phob rhwystr neu giât rhyngom
wedi meddalu heddiw
fel menyn yn y machlud.

Y Drudwy Na Hedodd i Ffwrdd

(Adar pier Aberystwyth)

Mentrant i'r Bae ond ddim pellach,
cyfyngu eu crwydro,
ni fynnant fwy na sicrwydd y traeth.
Gwres eu teyrngarwch triw yn suo dan y pier,
uwchlaw'r creigiau du ym marrug gaeaf.
Y drudwy na hedodd i ffwrdd.

Dim ond eu clegar cyntefig,
a'u cyfyng-gyngor oesol
i aros neu fynd?
Ar yr union adeg yr anobeithiwch
hed eu breichiau triw i'ch codi.
Y drudwy na hedodd i ffwrdd.

Gwylanod Llandudno

Rhai powld ar y naw yw gwylanod Llandudno,
yn disgwyl yn awchus ar foneti ceir,
ac ni wn i paham
maent yn cipio eich brechdanau,
neu'n herio unrhyw gi poeth.
Fe gipian nhw'ch 'pastie' yn chwim o'ch crafangau
hyd yn oed yng nghanol dre, y tacla!
Fe grafan nhw unrhyw hen gragen sy'n handi,
a sugno'i chynnwys
nes bod dim ohoni ar ôl,
ac maen nhw yn giamstars ar roi'u pennau yn y biniau.

Ym mrenhines y trefi glan môr –
dio'm ots gan y rhain!
Canant yn blygeiniol
y tu allan i'ch gwesty pedair seren.
Mae cerdded ar y pier efo bwyd yn eich dwylo
fel ailffilmio *The Birds*
heb Alfred Hitchcock yn cyfarwyddo,
na Tippi Hedren ar gyfyl y set.
The Birds a *Psycho* yn un gybolfa.

Gwylan (beth arall?)
sy'n eistedd yn herfeiddiol hunanfodlon
ar yr arwydd 'Peidiwch â bwydo'r gwylanod',
yn awchus ddisgwyl am damaid.
Does dim angen y fath arwydd rhybuddiol,
fe helpan nhw eu hunain!

Fe gipian nhw eich *Golwg*
o dan eich trwyn hyd yn oed!

Taflen sgleiniog y Cyngor
sy'n ein beio ni am fwydo'r diawchaid,
ac wedi cwrs ar seicoleg gwylanod
ein problem ni bellach
yw osgoi eu pig a'u brath –
Ni a daflodd y tsipsan gyntaf fel petai!

Medd cyngor y pamffledyn:
'Rhaid i hyn ddechrau gyda chi!
Y ffordd hawsaf i'r adar hyn gael bwyd
yw gan yr un sy'n taflu tsipsan neu frechdan atynt.
Am ein bod wedi arfer bwydo'r adar hyn, maent wedi dysgu
fod cael bwyd oddi ar bobl yn hawdd. Erbyn hyn, teimlant
fod unrhyw fwyd sydd gennym ar eu cyfer nhw.'
O! Y pethau bach.

Sugnant sglodion yn sydyn i lawr eu gyddfau main.
Rhai McDonalds yw eu ffefrynau,
a bachant unrhyw frechdan yn gyfan,
a slyrpian eich Slush.
'Peidiwch â bwydo gwylanod a cholomennod.
Mae'r rhai sy'n bwyta bwydydd sy'n naturiol iddynt yn iachach'.

Splash Point

Bob tro mae'r colli'n fwy cryno,
fel cerdd wedi'i saernïo i'r asgwrn
yn ddafnau
dadrith.

Bob ymweliad
mae'r llanw'n bellach ar ei drai,
lliw glas golau'r morglawdd wedi pylu.
Ond deil perl o atgof
a adawyd yno un dydd.

Meddwl lle'r wyt ti rwan,
a gobeithio fod bywyd wedi bod yn ffeind efo ti.

Dim ond y gwylanod
sy'n cofio hen chwedl;
dim ond y cwt 'mochel
a ŵyr unrhyw arlliw o'th hanes,
a hwnnw yn ei ddadfeiliad heb boeni'n ormodol.
Dim ond y mymryn lleiaf o'r paent gwreiddiol
ar ôl yn y golwg.

Erys y wal a fframiodd dy wên.

Ffermydd gwynt y Bae bellach sy'n ymlid atgofion.

Ond
fe drawodd y don
yn ewynnog braf yn ein llygaid unwaith
gerllaw Splash Point,
a'r tonnau'n dweud yn eu ffordd dawel, afrosgo
nad oedd dim o'i le
ar y blaguro ifanc rhwng dau
a oedd i daro'n rhy fyrlymog ar draeth y dydd.

Y Pellter Hwn

(Bermo yn yr hydref)

Yr hen bellter hwn.

Yr un person yn y caffi,
y syllu drwy wydrau llachar,
wrth ddisgwyl i'r siop gau,
y tynnu'n ôl hwn
i gael deall pwy ydym
yn y pellter cyfarwydd.

42

Y bws olaf unig i'r machlud coch
yn mynd heibio.
Galerïau sy'n cadw ar agor fel gobaith.

Dim llawnder haf
yn gandifflós o atgof yn Nhachwedd,
ond neuadd ddifyrrwch ar agor i wynt y gaeaf
yn obeithiol y daw'r awel i oglais
y peiriannau llachar yn y man.

Y pellter hwn.

Gaeaf Tywyn

(Tywyn, Y Rhyl)

Mae rhywbeth am Dywyn sy'n debyg iawn i mi,
a'r ochr arall i bawb . . .

Byddai peidio â dy weld
fel tafarn wag y gaeaf,
neu adar y Morfa yn glynu wrth y *Big Dipper*,
uwch y foryd.

Tywyn,
rhyw dir oddi mewn i ni
wedi ei erwino gan y dilyw,
a darnau o froc môr chwerw wedi eu gwasgar hyd y traeth,
ger tre sianti'r carafannau.
Gwersylloedd caeëdig fel paent yn plicio wedi brwydrau gaeaf,
a'u fframiau simsan yn edrych tua'r graig,
yn gysur yn ein byd amherffaith.
Os am gael '*Bad Hair Day*', Tywyn yw'r lle.

Ychydig stadau newydd yn syllu'n ddewr i'r môr.
Cyrchwn y golau tua thŵr pigyn Y Rhyl,
neu Lysfaen, neu'r bryniau draw,
rhywle oddi wrth y düwch hwn.

Fel Londis yn ysu am gael cau'n gynnar yn Nhywyn,
a phlant yn hongian wrth y goleuadau traffig
yng nglaw Ionawr
pan yw egni ias gaeaf a gwanwyn cyndyn
yn ymladd â'i gilydd ar y llain hon.

Dydi golau'r ganolfan hapchwarae
ddim yn argyhoeddi â'i groeso, na'r cynnig o sglodion.
Dim wyneb cyfarwydd
yn Neuadd Ddifyrrwch ein hoedl heno
ac eithrio enwau Cymraeg yr hen ffermydd
y tu hwnt i wersylla'r haf.
Dim llygaid cydymdeimladol gan y *Black Cat*
a *Happy Days* yn dywyll fud.
Y glannau heno'n ddiderfyn
fel *film noir* wedi ei harafu,
dim ond ambell gysgod yn ffenestri heno,
ambell berson lleol, prin, yn swatio.

Dyma'r ochr arall i Dywyn,
a'r môr am ennyd yn teyrnasu eto.
Y gwacter yn addas i'm gwacter innau heno,
a'm tŷ'n dymchwel ar y tywod.
Mae 'na gysur heno yng ngaeaf Tywyn,
rhywbeth yn y goleuadau sgleiniog sy'n parhau,
sy'n adnabod düwch y gaeafau;
rhywbeth am freuddwydion yma
sydd fel candifflós
yn syrthio trwy fysedd bwriadau;
rhywbeth yn seiniau taci'r tafarndai
sy'n gwybod hefyd am dôn i un mis Ionawr,
ac ochr arall pob ceiniog.

Mae 'na gysur yn hen ffaeleddau plant y llawr heno.

Yr adegau pan ydym yn dal ati
o drwch y blewyn.
Fel Tywyn yn y gaeaf.

Stiwdio Fi

Mae'r goleuadau yn eu lle,
y cyfan wedi ei reoli mor gywrain –
y goleuo i ddal f'ochor orau.

A'r tristwch mawr
yw bod y cyfan yn wag,
a'r tristwch mwy
yw bod y cyfan yn 'Fi',
a dydi Fi ddim yn ddigon.

Doniolwr arall
yn fy ngalaeth fŷ hunan,
a'r camerâu yn ddim ond metel,
y ceblau blêr yn baglu
y tu ôl i'r rhith hwn,
a'r golau'n fy nallu rhag gweld
y rhai agosaf sy'n fy ngharu.

Fydda i byth yn fy ngwylio fy hunan ar y teledu.

Aflonyddwr

(Kenneth Williams o'r ffilmiau *Carry On*)

"Ooh Matron . . ."
Plisgyn ŵy o act a barodd gyhyd,
mor wahanol
i'r pydew o rwystredigaeth ac unigrwydd
a oedd i lenwi
ei ddyddiaduron,
ei lythyrau,
ei ddyddiau.
"Beth yw'r pwynt?"
gwaeddodd ar gyfaill,
"Pwy wyt ti'n feddwl wyt ti
yn fy neffro i am ddeg y bore?
Ti'n gwybod does 'na neb byth yma."

Ond ar y ffilm
mae *innuendo*'r ymrafael oesol â Metron,
neu'r *Black Finger Nail*,
neu'r campio â Barbara Windsor,
ynghlo mewn gwlad
lle medrwn fynnu chwerthin,
ac ymlid am eiliadau ddagrau'r aflonyddwr ymaith.

Cnoc, Cnoc

Cnoc, cnoc, cnoc
ar eich personoliaeth
a'ch hyder
nes eich bod yn teimlo fel cachu.

Cnoc, cnoc, cnoc
yn y byd hunan-ganolog cenfigennus
rydym yn byw ynddo.
Does ddiawl o ots am neb.

Cnoc, cnoc, cnoc
hyd nes nad oes dim ots
a ydych yno ai peidio,
teimladau allan o ffasiwn.

Gadewch i ni ei fychanu a'i reoli
dim ond gronyn bach mwy,
nid â dyrnau gonest agored
ond â gemau meddyliol.

Gadewch i ni dynnu'r llen mwyaf
o orchudd llwyd dros ei fyd amryliw.
Gadewch i ni wneud yn siŵr
na fydd o byth yn rhy frwdfrydig.

Ebilliwn ei hunan-hyder
a'i synnwyr o hunan-barch.
Ebilliwn gnoc, cnoc, cnoc,
defnynnau dŵr yn disgyn i fowlen yn casglu.

Cnoc, cnoc, cnoc
hyd nes nad oes dim ar ôl
ohonom ninnau'r cnocwyr 'chwaith.
Cnoc, cnoc, cnoc,

Cnoc.

Banc Sylwadau

Dewch i gyfarfod â'r peiriannau newydd,
dim isio amlenni,
dim ond cyffwrdd â'r sgrin,
anweswn y sgrin.
Yn lle gwên person gynt,
gogleisiwn orchmynion y sgrin.

A rwan mae ciwiau pigog
nid at bobl ond at beiriannau,
a'r rheini'n torri.
"Dan ni'n aros am beiriant arall," medd staff streslyd.
O'r cefnau yn rhywle daw fflyd â'u ffeiliau am beiriannau
gan straffaglu o'u cwmpas,
heb fedru trin na pherson na pheiriant
i gynnig cwnsela am drin peiriannau nad ydyn nhw'n gweithio.
Gwenant yn ddel yn enw 'Gwella Gwasanaeth'.

Mae gan beiriannau, wedi'r cyfan, hawl i dorri
mewn arbrawf o'r fath efo'r banciau steil newydd,
ond fiw i bobl dorri!

Heibio i'r peiriannau a'r ddelwedd slic,
ym mhen draw'r ganolfan newydd,
er hwylustod,
os ydych chi wirioneddol ar ben eich tennyn,
fe eistedda
person o gig a gwaed,
â golwg ryfedd, anghysurus ar ei wep
o weld person arall yn cyrraedd am sgwrs.

Ceisia argyhoeddi'r cwsmer
sydd am ganslo'i forgais deugain mlynedd bod ymwared.
Efallai ei bod yn well ganddo siarad wyneb-yn-wyneb
efo pobl i lawr y lôn,
ond cyn iddo fod yn fyrbwyll, gofynnir iddo
aros mewn ciw arall, a chodi'r ffôn
ar y dyn bach clên sydd ar ben y lein yn India
i drafod unrhyw broblemau a allai godi.

Dim Angen Creu Teledu Yma

(Ar bont hynafol Llangollen adeg gorymdaith yr Eisteddfod Gydwladol)

Arhoswn yn amyneddgar ar yr hen bont yn yr haul
i dalu gwrogaeth i gymod gwledydd,
i gynnig enfysau'n ein llygaid,
i gael ein byd bach ninnau a'n byw beunyddiol
yn ôl i bersbectif,
i gael ongl o bont Llangollen.

Oriau'r prynhawn yn meddalu'n ddim
wrth i'r tyrfaoedd hel,
a chlustfeinio am seiniau cyntaf
y chwrligwgan blynyddol i'n calonnau ni oll.
Meddalir y caletaf, melysir y sinig
wrth i'r orymdaith ein llorio.

Does dim angen creu teledu yma,
dim ond rhyfeddu . . .
'Stori ar dorri' bob eiliad.
Dim angen i'r siotiau newid yn wyllt ar y sgrin
i greu'r argraff fod rhywbeth yn digwydd,
dim angen hel torf i werthfawrogi asbri'r wyrth.

Dyma'r pnawn pan mae amser yn mynnu simsanu,
fel maddeuant un haf 'mhell yn ôl.
Cyffyrddwn â'r bont
a gostrelodd wres yr hafau yn ei feini hen,
y gwres tanbaid hwnnw a siapiodd y geiriau di-droi'n-ôl
sy'n dal i ddod â dagrau i'r llygaid:
"Croeso i'n cyfeillion o'r Almaen."

Deuwn yma un prynhawn Mawrth bob blwyddyn
gan obeithio cael y cryfder
i edrych ar ein gilydd lygad-yn-llygad
lle gynt y buom lygad am lygad.

Plyg y camera'n llawforwyn siriol,
collir cyflwynwyr yn y dorf,
ac nid oes angen creu teledu yma.

Montserrat

Mae angen i ni i gyd fynd i'r mynydd.

Y rhai o'r Dwyrain Pell
â'u lensys cywrain hirion,
y gwŷr a'r gwragedd busnes
sydd am orig allan o bwysedd y swyddfa,
hen deithwyr 'gwin olaf heulwen ha",
bywiocach eu hawydd na neb;
rydym oll am esgyn i'r mynydd.

Y merched ifanc del,
y sinigiaid â'u breichiau pleth,
yr ifanc yn eu grwpiau trwsgl
i gyd ag angen i esgyn fry,
a syllu ar banorama hen lwybrau
wedi'u treulio gan y canrifoedd.

Cyrhaeddwn graidd yr ymwybod,
Montserrat,
a'r clychau yn cymell i'r offeren,
ac yn ysgwyd y pentref.
Rhengoedd am gyffwrdd â'r Forwyn Ddu
cyn camu'n ôl i lawr i'r dyffryn,
wedi bod ar ben y mynydd.

Ramblas

(Barcelona)

Mae'r dail yn dechrau blodeuo eto ar Ramblas,
llif bywyd yn ddi-baid
o dan eu blodeuo tyner
fel Sul y Palmwydd.

Pawb yn gweu eu haddewidion
wrth i'r dail ddechrau blodeuo.
Neidiwch i'w canol, neu foddi ar y lan.
Ramblas.

Ieuenctid yn cusanu a gafael mor annwyl
fel petai'r haul yn anwylo'u serchiadau
yn hytrach na'u cymhlethu,
pan ddechreua'r dail flodeuo ar Ramblas.
Ar ddiwrnodau fel y rhain
daw'r penderfyniad i barhau yn awdur, a dal ati i greu
fel y dail yn dechrau blodeuo.
Neidiwch i'w canol, neu foddi ar y lan.
Ramblas.

Y Groes

(Seiliedig ar y darlun o Sant Ioan o Avila, un o baentiadau Dalí)

Mae'r llifolau ymlaen
yn tywynnu i lawr
ar y corff hardd ar y Pren.
Ei awr wedi dod.

Dw innau'n falch
fod y Groes yn hofran fry
heb ei daearu;
uwchlaw ei chyfyngu
i'n pridd a'n llwch,
ond yn hedfan
â sêl sanctaidd
o'r düwch at y goleuni.

Gadael
gwrthodiad y bobl na fedrent ei arddel
yng Ngalilea o bobman.
Gadael
Seimon Pedr a'r gwadiad
ac euogrwydd caniadau'r ceiliog.

51

Pob cysgod ar fin cael ei ddileu
a'n heuogrwydd yn rhan o'i faich O.

Y Groes yn hedfan drwy glais yr awyr,
yn hedfan drosom oll.
Y Groes gyfarwydd
uwch hen aberoedd a chychod
ac uwch pob storm ar foroedd.

Hen bwrpas brwnt y pren
ar arswydus barod daith
ar fin troi'n eirias eglur o'r diwedd
wrth i'r wyneb droi at y goleuni
i dderbyn sicrwydd anwes Tad.

Eglwys Sagrada Familia

(Eglwys Gaudi, Barcelona)

Rydan ni'n dal i adeiladu Ei Eglwys,
yn dal i chwilio am y ffurf
a wnaiff ei ogoneddu Ef
ac nid ni ein hunain.
'Dan ni'n dal at y gwaith,
a phan fyddwn ni'n meddwl fod y gwaith ar ben
fe fydd mwy,
wastad mwy i'w wneud.

Mae Celfyddyd yn parhau,
â'i chwest am rywbeth gorffenedig,
yn dal ar waith
ar safle adeiladu parhaol y byd.

Rhyfeddwn
a pharhawn â'r gwaith
gan wybod fod gwaith yr Iôr yn anorffen yn y bôn.
Ond fe gyflawnwyd peth,
a medrwn gamu yn ôl

a gweld rhywbeth newydd bob tro ynddo,
yn yr haul,
yn y cysgod.

Gaudi
a naddodd o'r garreg foel
delyneg ei gred,
a adawodd waith heb ei orffen
yn eglwys y dyddiau da.
Ni fedr ein lluniau annheilwng grynhoi'r cyfan.
Dim ond megis dechrau yr ydym,
yn greadigaethau anorffenedig
wrth dy waith
ar faes adeiladu'r byd;
yn glai heb ei fowldio'n gyflawn eto
yng ngweithdy dy fwriadau dwyfol.

Ail Iaith

'Anodd'.

Gair mae dysgwyr o bob safon yn ei ddeall.

"Gwraig wedi mynd efo fy ffrind."

Yr eiliad y daeth emosiwn
i'w ail iaith,
er yr honnai mai Cymraeg New Broughton oedd ganddo.

"Gwraig wedi gadael efo'r plant.
Anodd."

Ac mae gwewyr gwahanu
'run fath mewn ail iaith,
ag ydi o mewn iaith gyntaf.

Pwll Clai

He's learnin' Welsh with his work
and they've said it was Beginners,
but there's some there that are brushing up on it.
It's not the same, is it,
as us lot doin' it?
We never had any in school did we?

Buckle, Bwcle or summat,
that's our Buckley in Welsh.
Well, we've always said Buckley 'aven't we?
God, imagine if we said
"A single to Bwcle" on the bus.
Any road, they're all wrong cause it's Pwll Clai really,
only the English couldn't say it
when they came to make the maps. Silly buggers.
Pwll Clai – Clay Pit . . . yes, it's the other way round.

I am a mine of information, actually.
I tell them it's Mynydd Isa not Mynydd ISA like one of those
new instant access thingies in Nationwide.
I can't say the Welsh for Mold.
How can a four letter word come to be so big?
Oh yeah, I forgot, it was there before Mold . . . ay . . .
Yr . . . Wyddgrug.
That's the trouble with the language,
all those long words,
and then when you put it together
it's all the wrong way round.
Mold Town Centre
is Canol y Dref Yr Wyddgrug.
I never quite grasped that one,
moving everything around.

When I first came to Wrexham
I thought the College
was a Cart Refill, and it was Cartrefle,

and Acre Fair the English way I used to say
not Acre Fair.
That's beautiful Mary's acre, Acre Fair.
And as for Froncysyll. . . well, Fron,
I couldn't grapple with that one!

But Les is enjoying this Course,
it's fun to do.
He says he's learning where we're from,
digging deep in the 'Pwll Clai', as he puts it,
and I'm all for that!

I might go with him,
as long as I don't have to stand up
and say Mold Town Centre in Welsh,
or worse still, Fron . . .
you know the one I mean.

"Yn araf, os gwelwch yn dda.
Dwi'n dysgu siarad Cymraeg."
But it's more than just the language, the words,
isn't it?
It's in here.

Inis Faithleann

(Ynys yng nghanol Llyn Cillarnie)

Gall ynys, o raid, beidio ag aros yn ynys.

Â'r niwl yn codi ar hyfrydwch bro
cymeraf gwch i Mainistir Inis Faithleann
yng nghanol Lough Leane.

"Mi ddof i'ch 'nôl chi mewn rhyw awr."
Gweld y cwch yn llithro i.ffwrdd
a gwybod am sbel
y cewch yr ynys hon i chi eich hun
a llyfiad tragwyddol falm y tonnau diniwed.

Ymryddhau yma rhag gofalon llethol
fel y mynachod canoloesol
a welodd yr un sglein ariannaid ar y dŵr
wrth groniclo eu hanes ym mhrifsgol y llyn.
Yr un adlewyrchiadau rhwng dŵr a chwmwl.

Inis Faithleann, Ynys Afallon?
Ynys o hoe yng nghanol ein brifo.
Hyd nes y daw'r hen ysfa
i ymestyn breichiau dros y dŵr drachefn,
draw at gyfandir dyrys dynoliaeth
ac anwes posibiliadau'r Tir Mawr.

Gorynys Dingle

Y Dingle
a rydd i ni'r pellter yn ein calonnau
sy'n bellter braf,
yn gyrraedd pen draw,
y darganfod pethau newydd
amdanom ni ein hunain.

Y cyrraedd sydd wastad yn ddechrau arall
ar ben draw gorynysoedd y byd.

Arwyddion

(ar daith dywys o amgylch Swydd Ceri, Iwerddon)

Yng nghanol sylwebaeth
gwibdaith o gylch Ceri cyhoeddwyd:
*"Dacw'r pentre' yn yr ardal hon
lle mae 'na lawer o siarad Gaeleg."*

Dyma'r ardal a glustnodwyd
gan lywodraeth i barhau bywyd iaith.

*"Dyma'r lle y mae myfyrwyr yn cael mantais
o dreulio'r haf,
yn cael eu noddi i siarad dim ond Gwyddeleg.
Maen nhw'n gorfod gofyn am eu Guinness yn yr Wyddeleg yma . . ."*

Gwag yw'r chwerthin ynof i,
fel tagu ar ormod o gyffug Gwyddelig
o'r siopau cofroddion unffurf.

Pentrefi ar ambell orynys yn yr eithafion gorllewinol
lle mae'r *Seanachai** yn dal yn y tir.

Ac yn yr ynysu swyddogol hwn
teimlais gnul mor angladdol
â thon yn torri ar draeth dienw yng Ngheri.

Arswydais rhag dydd y daith dywys yn fy ngwlad fy hunan,
pryd y pwyntir at Lanefydd neu Lansannan,
Pandy Tudur neu Wauncaegurwen,
Crymych neu Ledrod,
Y Bala neu Gaernarfon,
Llangwm neu Lanuwchllyn,
a'r sylwebydd yn dweud:
"That's the village where they still speak the Welsh,"
ym mharc thema Gwalia.

Seanachai: Cyfarwydd

Buarth Glân

(i gofio am urddas a sirioldeb Anti Enid
yn ei salwch hir, creulon, *MS*)

Plentyn meddal o'r dref
ar fuarth y Foel
yn mynnu glanhau'r lle efo'r beipen ddŵr;
yn methu deall pam mae isio cymaint o faw
o gwmpas y lle,
ac Enid rhwng carthu, godro a bwydo,
yn chwerthin efo'r meddalwch hwn.

Heno ynghlo yn ei chof ei hun:
"Dech chi'n cofio pan roesom ni halen yn nhe Yncl Len
yn Mumbles
a smalio mai siwgr oedd o?"
Dim carthu, godro, bwydo,
ond y tân yn procio adnabyddiaeth ddoe
mewn ambell edrychiad.

Brath gaeafwynt
rownd conglau segurdod y fferm,
a'r buarth yn lân.

Diwrnod Pluo

Yncl Len ar ei waethaf
yn gorfod lladd y gwyddau a dendiodd mor ofalus.
Gallwn ddweud ar ei wyneb
fod rhywbeth yn groes i'w reddf,
rhywbeth o'i le
ar daro'r pen gosgeiddig amryliw
yn erbyn y llechan oer
a hollti'r gwddw cynnes.

Arogl paraffîn a phlu
ym mygydau'r cwt,
a'r diberfeddu yn y gegin oer,
a chymdeithas od
teulu yn pluo, pluo.

Liw haf ceisiais greu argae yn y nant,
digon o bwll i fedru nofio,
ond yn nen Rhagfyr, eira yn bygwth,
a'r argae wedi torri'n
nant goch, euog,
yn ageru i waelod y buarth caled.

Mam

(Iola Ann Atkinson, Foel Isa', Corwen. Ei chofio gyda Gwenan
fy chwaer ger Llyn Hollingworth, Swydd Gaerhirfryn)

Cronfa hiraeth.
Trafnidiaeth gymesur y draffordd
yn parhau'n llinell bren mesur ar y gorwel.
Yma y deuwn yn achlysurol fel teulu
i ddal i fyny, ac i gerdded o amgylch ei derfynau.

"Fydda i'n dod yma weithiau
ar fore Sul.
Gadael y rhai diog
yn eu gwlâu,
a cherdded o'i amgylch;
mae'n dair milltir i gyd.

Mae 'na dŷ neis wastad ar werth
ar ei lannau,
ac fe fedra i freuddwydio
y bydda i'n symud iddo ryw ddydd;
mae 'na dafarn dda i fwyta,
a siop goffi neis.

A . . . dwi'n cofio dod yma
efo Mam
unwaith."

O ddŵr Llyn Hollingworth dadweiniwn
Galedfwlch ein hatgofion,
fel pentre'n dod yn ôl o'r dyfnder am orig fer.
Anwesu'r atgof cyn ei daflu'n ôl i'r dyfnder
tan y tro nesaf.

Abaty Glyn y Groes

(Llangollen. Nos Ystwyll)

Canolfan y ddysg ddygn, dawel,
a befriodd ei wironeddau
y tu hwnt i gwm cyfyng y Groes.
Trwy fwa'r gorffennol heno
af at yr hedd a fu yma'n cynnal
henfeirdd a chlêr adfyd a hoen.

Abaty a fu'n oleuni gwastadol yn ein gwyll.

Cyn i'r dyffryn droi'n gyfannedd,
eiliadau
i brofi'r hedd sy'n hŷn na pharabl Dyfrdwy.

Clyw ganiad aderyn hwyrol,
cynnwrf annisgwyl yn y pysgodlyn,
a minnau'r unig westai tebygol heno
yn ffreutur y dyddiau da.

Ann Griffiths:

Ar y Lôn Hir
(Pontrobert. Haf daucanmlwyddiant marw Ann Griffiths)

Y lôn hir unionsyth honno,
Pontrobert y tywyllwch heno,
wedi'r noson o gofio Ann
yng Nghapel John Hughes.

Sylweddoli bod lôn hir, hir, i ni,
pellter i'w deithio'n ôl
wedi'r orig hon
yng ngwres y tân a dasgodd gynt
yn y gornel hon
ymhell bell yn ôl.
Gwreichion awen a dasgodd o eingion Duw,
a hogwyd ym mhair gwewyr.

Â diferion o'i hawen gynt
yn falm yn ein nos,
dychwelwn
ar yr hir, hir ffordd
at ffair y dre.

Ruth
(Morwyn Ann Griffiths, Dolwar Fach)

Cofnodaist
eiriaster y dweud
a chwyldrôdd y cnawd
yn declyn Duw.

Isel wyt ar restr y gofgolofn,
ond hebot
ai troednodyn fyddai Ann?

Ruth, y llawforwyn,
buost yn hau yn dawel
yn y cefndir,
yn canu ein cân.

Ar Ddiwrnod fel Heddiw

(Cofio diwrnod 'ymweld' â Choleg y Brifysgol,
Bangor, Gwanwyn 1979)

Pan oedd y Fenai yn dechrau dangos ei hen las golau eto,
a'r Garth ac Ynys Môn yn dechrau anwylo'i wyrdd,
ar ddiwrnod fel heddiw,

ar ddiwrnod felly y penderfynais ddod i Fangor
yn laslanc, pan oedd y byd yn las olau.
Diwrnod pryd nad oedd ond y gwanwyn yn llenwi fy mryd,
pan oedd petalau brau am y coedydd,
a'r heulwen ddisglair yno i ni yn unig,
min pob addewid posib ar yr awel,
dim cwmwl ar orwel gobaith.

Traethau y tu hwnt i draethau ar aur Lafan,
y Fenai yn freuddwyd o las a melyn,
neu'n ewynnog o bosibiliadau,
a threm tuag at Eryri'n ifanc.
Ac wrth i wanwyn arall
anwylo'i afael ar y tir,
cysylltaf â'r gwanwyn cyntaf hwnnw.

Gwanwyn pan oedd y coed fflur ceirios
yn gyforiog o flodau;
cyn i'r un petal syrthio i'r llawr
eisteddem ar lawnt ein cyfnod
yn hapus i fodoli am hyn o amser
heb ormes cloc yn tician,
heb boeni dim am y llyfiad
o eira ar yr Wyddfa o hyd,
ar ddiwrnod fel hwnnw.

Deil y Fenai'r un mor las olau heddiw,
er i ni, a fu'n eistedd dan bren y fflur ceirios, bellach
weld glas tywyll, a llwydni yn ei hadlewyrchiad,
synhwyro cerrynt croes yn ei llif glas golau,
a theimlo brath cesair y cymylau.

Ond ar ddiwrnod fel heddiw dewisais ddod yma
i ddinas garedig academyddion crwmp y llwybrau cefn,
a 'phobl dre'.
Boddais mewn fflur ceirios,
a'm cyfareddu gan atgyfodiad oerias y Fenai.

Gwanwyn gerwin arall,
a'r fflur ceirios diniwed yn ôl drachefn,
fel ninnau gynt ar lawnt ein dydd;
a Fferi'r Garth yn dal i hwylio
o lanfa'n breuddwydion,
i geisio canfod mwy yn y bae.

Bangor Uchaf

(ar ddiwedd blwyddyn golegol)

Gadawyd y pentref ar ôl
fel pe bai haint wedi gwasgar i'w gilfachau.
Aeth y mannau a gysylltid
yn anterth blwyddyn
â hwn neu hon
yn fannau y cerddir heibio iddynt.

Erys angorau'r gymdeithas,
a dychwelodd y rhai dros dro
efo'u graddau, eu diplomau, a'u tystysgrifau.
Gwagwyd y tai myfyrwyr
a'r neuaddau
lle bu'r dechrau byw.

A gadewir cragen Bangor Uchaf
i'r trigolion sy'n dal i fyw a theimlo
wedi i'r dylif tymhorol
eu gadael â'u breuddwydion.
Gadewir darn o'r haf ar ôl.

Tan y tymor nesaf.

Blaenau Ffestiniog

(i Menna)

Blaenau,
a'r llechi'n bentyrrau'n dal eu hanadl,
dal eu hanes, dal eu hiaith.
Llechi
fel rhyw ofnadwyaeth
sydd yn wastad ar fin digwydd.
Bythynnod a phonciau'r diwylliant
yn dir neb.

Nadredda'r gwynder
o fêr hen lechweddau llwyd,
a hen niwl sy'n hongian
tan y grisiau.
Rwyt yn ei nabod mor dda,
ei gysgodion ar gynfas y Moelwyn.

Llechi sgleiniog gwlyb
yn torri min yfory
a hollti atgofion,
yn dweud yn dawel dy fod yma'n perthyn.

Actor

(i Arwel)

"Fydda i'n dysgu llinellau,
meddwl sut i ddweud gair
pan fydda i'n gwneud y pethau yn y ffatri 'cw
y gallai mwnci eu gwneud!"`

Mewn byd sydd yn uwch
na'n llafur bob dydd,
mae'n llunio alaw, caboli cymal,
gweld ongl arall ar linell,
posibiliad is-destun mewn gair.
Wrth ddatgymalu peiriant,
dadelfenna olygfeydd y sgript;
a phan fydd y ffatri 'di cau
mae ei greadigaethau'n loyw,
a'i drawiadau'n barod i gamu ar y llwyfan
yn gig a gwaed.

Fel dewin fe'n cyfaredda
gan agor ei drysorau cudd,
ei bwyslais cywir mewn emyn, cân roc a rôl,
Cerdd Dant ac angerdd drama;
ac mae ganddo'r gallu
uwch gwaith y dydd
i wneud i'r sêr ddawnsio.

Gwarchod
yr un darn hwnnw oddi mewn
nad oedd modd i unrhyw un ei ddifetha,
y gallu mawr hwn na all neb ei ddifa,
y mwynder tu hwnt i unrhyw orfod smalio.
Gall plant fod yn greulon eu tafodau,
ond dyma'r un peth nad oedd modd
ei wawdio allan ohono.
Talent
a ddeuai'n fyw ar lwyfan gŵyl y penwythnosau,
ynys o ddianc o Rosymedre.

Rhoddir y trysorau i gadw
tan y tro nesa y daw newid gwisg,
a gofyn am golur ar ei wedd.
A dychwela'r actor at ei waith dyddiol,
wedi derbyn cymeradwyaeth frwd y dorf
ac anwes gwres y goleuadau.
Cyrhaedda galon ei gynulleidfa bob tro,
a bodloni'r gornel fach oddi mewn iddo
a warchodwyd mor driw.

Ac wrth ei waith yn ffatri'r dydd
bydd yn paratoi'r perfformiad nesaf,
yn disgwyl yn amyneddgar a rhadlon
am wynfyd y munudau nesaf
pan fydd gwefr yn tanio'i glai
a'r sêr y tu allan yn dawnsio.

Capel Celyn

Dŵr glas hardd
sy'n cuddio'r pentref,
llyn hamddena
sy'n dileu'r hyn a fu.

Ond weithiau daw'r pentref i'r golwg
i ddweud hanes
y sathru, y bwldosio
a'n gwnaeth yn Gymru.

Ar lechen oer ein hoesau
ceir eu henwau
a'u dyddiau,
y rhai a fu'n byw
bwrlwm iaith ac addoli yno.
Fe'u symudwyd yn gofeb
i'r ochr
fel llong wedi ei hangori.

Ond weithiau mae'r llong ar dir sych
a hen friw yn cael ei agor,
a daw'r pentref i'r golwg i'n hatgoffa,
ac i'n digio,
ac i'n gwneud ni'n fwy o Gymry.

Rhos y Gelli, Penbryn-mawr,
Coed y Mynach, Pont Cae Fadog,
Garnedd Lwyd, Hafod Fadog
a Thyddyn Bychan.
Roedd yn rhaid i bobl anghofio eu cartrefi,
anghofio iddynt erioed fod.

Ychydig o gydymdeimlad
a geir gan y dŵr glas heddiw,
ond weithiau ar haf sych
daw'r pentref i'r golwg
i'n hatgoffa.

Afalau Lerpwl

Pan syrth yr afalau ar y draffordd
gwn fod y flwyddyn dros ei hanner yn darfod.

Bob blwyddyn 'run fath a hithau'n hydref,
yr afalau codwm yn ein hatgoffa
am gwymp pethau hardd, am rai a'n gadawodd,
am ddadfeiliad blwyddyn arall o'n bywyd bregus.

Afalau codwm ar y draffordd,
yn dangos bod pob ceinder o fewn terfynau,
a'n poeni bach ninnau yn siŵr o ddarfod.

Afalau codwm y breuddwydion nas gwireddwyd,
yr anwyldeb hwnnw nas dangoswyd eto,
y pethau na fyddant byth yn digwydd
bellach yn ein hanes.

Fe'u gadewir ar y draffordd
i bydru, i droi'n sitrws,
dan olwynion di-hid y teithwyr.

Yr afalau a fu unwaith mor ir.

Ffownten Lerpwl

(Ffownten newydd yn dehongli cysylltiad Lerpwl â'r môr)

Codi a disgyn, llanw a thrai,
gallt a goriwaered;
ail lanw wedi trai hyll,
fel hanes bywyd porthladd,
fel hanes hoedl.

Gwelwn y cyfan
yn lluniau'r ffownten newydd.

Rheda rhai drwyddo,
llecha eraill rhagddo,
gwlycha rhai, eraill yn osgoi'r llif,
rhai'n dawnsio brig y tonnau
wedi deall manteision dal y llanw yn ei bryd.

Yn ifanc
fe'n taflwn ein hunain i'r ffownten
heb boeni fod campwaith celfyddydol diweddaraf
Dinas Diwylliant
yn ddim mwy na chawod rad,
yn 'wlychu ymhlith ffrindiau.
Bellach eisteddaf ar yr ochr
wedi hen anghofio i minnau unwaith
fy nhaflu fy hun i mewn i ffownten oes.

Gadawaf yr ifanc heno
yn y wlad lle nad yw ffownten gelfyddydol
yn ddim ond dŵr i daflu cyfaill iddo,
a chadwn draw am heno
y dydd lle bydd y rhaeadr yn rhewi
a sylweddoliad fod y dŵr oer yn treiddio i'n mêr,
gadawaf iddynt gusanu yn y ffownten
wrth i'r haul waedu dros y Ferswy.

Carchar Altcourse

(Yn rhan o dîm a gyflwynai wasanaethau Cymraeg yma efo
Caplan y Glannau, y Parchedig Eleri Edwards)

"Dwi byth yn dod yn ôl tro 'ma."
Cloi.
"Be' 'di enw'r peth 'dach chi'n rhoi pêl golff arno fo?
Tee. Llaeth a dim siwgr, plîs."
Cloi.

"Dwi'n mynd i fyw yn Llandudno ar ôl dod allan. Mae'n braf
        yn fanno.
Digon o bethau i'w gwneud i'r fechan."
Cloi.
"Mae 'na rai'n anghyffyrddus â Duw
am i'w tad nhw farw, a nhwtha mor ddiymadferth yma."
Cloi.
Pianydd du mor wych yn chwarae emynau yn y capel,
bu ar *Opportunity Knocks* efo Lena Zavaroni.
Cloi.
'Dan ni ddim i fod i adael i neb fynd drwy'r giatiau 'ma 'run
        amser â ni.
Cloi.
"Dwi ddim yn gwneud dim efo nhad i."
Cloi.
"Be ydi'r *recipe* cywir i wneud cacen berffaith?
Mushrooms a spliff neu ddau."
Cloi.
"Ma' fama'n well na'r lle arall
lle'r oedd 'na lygod mawr yn rhedeg y tu allan.
Ma' nhw'n *immune* i'r gwenwyn."
Cloi.

"Pan dwi'n meddwl am yr Ysbryd Glân, dwi'n meddwl
am y fflam uwch purfa olew Stanlow,
wastad yno'n llewyrchu ynom ni."
Mentro agor.
"Fydda i yn dal yma pan ddowch chi Nadolig.
Wela i chi bryd hynny."
Agor cil y drws.
Cloi atgofion.
Cloi popeth
ac eithrio'r eiliadau hyn yng nghapel y carchar,
a'r baned wedyn.

A'r haul uwch Altcourse heno
â'i fachlud yn un digon oer a didostur,
yn rhyddid a cherydd yr un pryd
i rywrai'n edrych fry
o'r Ganolfan ffitrwydd oddi mewn i'r ffensiau,

neu'n codi golwg o un o'r rhesi ar resi
o setiau teledu drwy farrau a ffenestri cyfyng.

"Pan fydd y giatiau 'na'n agor, fydda i ddim yn gwybod be'
    i'w wneud.
'Dan ni i gyd yn dadau.
Rhowch weddi i ni fore Nadolig."

Anrheg Nadolig

(Cyngerdd carolau blynyddol Cymdeithas Gorawl Gymreig Lerpwl)

F'apwyntiad blynyddol
efo'r hyn y gallwn fod wedi'i gael, ond nas cefais;
noson angenrheidiol y 'Carolau Teuluol',
mor anorfod â gwisg Santa yn Rhagfyr.

Boddi yn y canu ar hen ffefrynau,
cael fy mychanu gan fawredd y Gerddorfa,
côr ysgol gynradd yn canu'n annwyl
yn y neuadd groesawgar ei lliwiau.
Dieithryn wyf heno ar lannau Mersi,
ymhlith disgynyddion y Cymry,
yn suddo'n fy sedd.

Eistedd ar ben rhes wrth deulu o Kirkdale,
smalio am orig 'mod i'n un ohonyn nhw,
yn dotio'n falch at eu tylwyth ar y llwyfan.
Distyll hen ddoe ac echdoe yn eu hwynebau.
Amsugnaf y cyfan, benthyg y munudau a chostrelu'u rhin,
fel petaent yn eiddo i mi.
Cyn llithro allan i balmant diwybod y ddinas,
fel pe bawn i erioed wedi bod.

Wrth ddychwelyd drwy'r Twnnel am Gymru
darnau o fyd pobl eraill sy'n diasbedain,
a geiriau clên gwraig ddiarth sedd nesa'r Ffilharmonig
yn anrheg wedi'i lapio i mi,
"You would have made a lovely Dad."

Siop Recordiau Lerpwl

(Hairy Records, Bold Street, Lerpwl)

Criw'r recordiau finyl hir
'nghlo mewn byd na allwn ddychwelyd ato,
dim ond edrych 'nôl tuag ato'n hiraethus.
Wynebau disglair cyn dyfod *ankst*,
yn cynrychioli'r hen fyd
y medri sôn amdano weithiau heb frifo gormod,
y medri ei ddal o hyd braich i syllu arno
fel y parch gan arbenigwyr a chasglwyr
wrth fyseddu hen finyl prin.

Yno yn ffenestr flaen Siop Recordiau Hairy
cofiwn rai a gyffyrddodd â'n breuddwydion unwaith.
Hei D.J., chwaraei di un i mi heno?
Rita o 'Corrie' yn ei dyddiau canu,
Funkadelic, Shaft, Spacemen 3,
Mersey Beat a Honor Blackman,
Michael Jackson a Billy Jean,
Buck Rogers a Tony Christie,
Frankie Howard yn cadw cwmni i'r Scaffold,
Nadolig gwyn yng nghwmni'r hen Bing.

Canwch nerth eich pen i'ch planhigion,
'A chant for your plants', a'r Orbison Way,
Dougal o'r *Magic Roundabout*,
Big Daddy Kane a'r Sex Pistols,
Arthur Lowe a Sacha Distel,
Andy Warhol a Betty Boo,
emynau o'r galon gan Johnny Cash,
goreuon y Postmon a fu'n dosbarthu'r bwndeli dan ganu.

Larry *'shut that door'* Grayson
a Dr Gwynfor Evans *'Wales Must Live'*,
Rocky Horror Picture Show,
Evel Knievel, *Spaghetti Western*,
Tynged yr Iaith a Joan Rivers,
Record Goffa John Fitzgerald Kennedy

a *Shape Up and Dance* efo George Best
yn ôl yn y dyddiau heini hynny –
i gyd yn ffenest Bold Street
lle mae cornel fach o'r cof yn parhau.
Olion bywyd ar hen ddisgiau,
a'r fformat wedi ei hen anghofio,
y nodwydd wedi hen lynu,
ac eithrio'r un ffenest fach annibynnol hon.
Ac o domen y jyngl finyl
o'r gornel *'Void Vinyl'* yn *'Obsolete Room'*
y siopau prif lif sgleiniog,
daw cri iasol gan y criw hwn.

Cri ein gobaith oll fod rhywrai ar ein horiau duaf
yn hongian ein finyl ninnau yn ffenestri'u cof,
hongian ein recordiau hirion blêr, trwsgl, brau
yn ffurfafen eu hatgofion,
uwchlaw mympwyon cyfnod,
uwchlaw unrhyw lithro o fri –
y tolciau a'r sgriffiadau,
y neidiadau amrwd i gyd,
ond uwchlaw'r llwch,
ias ein cân a fu'n cyniwair un bore braf.

Oriel Gresffordd

(Cofio 70 mlynedd ers tanchwa Gresffordd, gan gynnal
gweithdai barddoniaeth efo ysgolion cynradd y fro)

Holltwyd y lluniau priodas yn ddi-droi'n-ôl.

Mewn oriel o luniau du a gwyn
gwêl y plant wŷr yn gwisgo'n ffasiynol,
darluniant eu gwalltiau'n 'cŵl'.
Daw'r ffotocopi blaen yn fyw
yng ngardd eu dychymyg
ac erchyllterau i lawr y pwll
a hidlir gan eu meddyliau gwyn.

A syllaf innau
ar hen ruddin a pherthyn ar y gororau hyn,
a gwe fy mhresennol yn cofrestru'r plant,
yn fy nghlymu ag enwau'r gofeb:
y Cartwrights a'r Cluttons,
Davies a Dodds –
"Roedd o'n arfer byw rownd y gornel oddi wrtha i!" –
Evans, Griffiths a Hewitt.
Cymaint o Hughesiaid a Jonesiaid.
"Mae 'na ddau yn fan hyn o'r un cyfeiriad!"
meddai'r diniweidrwydd gwyn.
Lloyd a Manuel,
Owen a Ralph,
Roberts, Robertson, Rogers,
Salisbury a Shone.

Hen linyn brau ydi o
sy'n ein cysylltu oll â'r cyfenwau hyn
yn ein heddiw digidol, amryliw.
Taylor a Thomas,
Valentine, Williams.

Daw dagrau i lygaid bro
– fel ymateb plant bach –
am i'r ddau gant chwe deg a chwech
yn yr orielau syber
am ennyd droi'n lliwiau llachar, cynnes
â bywyd yn goferu ohonynt.
Y lliwiau colledig ifanc,
fel petai'r cyrff a gladdwyd
bob hyn a hyn
yn gorfod dod yn ôl i'r wyneb,
cyn pylu drachefn yn ddu,
yna'n wyn.

Cwm Abbey Hir

Ffordd nad yw'n gyrchfan i lawer heddiw,
a minnau'n cael y cwm hir
yn bersonol i mi fy hun
yn haul diwedd Medi.

Arogl torri'r gwrychoedd,
arogl tynnu i lawr.
Pen y gwrych wedi ei dorri
fel crib balchder a sigwyd.

Cyrraedd y llecyn tawel arallfydol,
dewis doeth y Sistersiaid
â'r tangnefedd y gellir ei dorri.
Yma y gorwedd olion breuddwyd Llywelyn y Llyw Olaf.

Dim ond y capel sydd ar ôl –
corff yr Eglwys ar ffurf Croes.
Neb yn dod i fyny'r cwm hir yn heulwen Medi
cyn i aeafwynt daro Cefnpawl drachefn.

Er ei fod o ymhell o bobman ym mhen draw'r cwm hir,
bu'r byd yma unwaith.
Ac er mai olion y muriau sydd yma heddiw
fe'u hail-lenwir â'n dealltwriaeth,
a'n dyhead i barhau.

Hosbis:

Chwiorydd

Gwragedd . . . gwragedd wrth y Groes,
wrth y bedd gwag.
Gwragedd yr hosbis
a'u hedrychiadau ystyrlon
fel amdo'n codi.

Gwragedd
yn rhannu eu haddfwynder,
yn gwasgar eu dealltwriaeth.
Mor dirion â'r dafnau gwlith
ar y blodau a drefnwyd yn dusw o obaith
yn y capel,
cyn i'r dydd-gleifion gyrraedd
ar gyfer gweddïau caled
bore arall.

Lliw Duw

Y ferch dri deg ac un oed
ar feranda'r llofft unigol
pan ddaw'r gwirfoddolwr heibio,
yn holi'n ddigymell:
"Pa un yw hoff liw Duw?"

Gwyrdd y glaswellt?
Melyn y blodau gerllaw tybed?
Gwyn y colomennod hedd?
Edrychodd fry
at lesni arbennig ffurfafen Gorffennaf
"Glas ydi o.
Mi wisga i las pan af i."

Eva Cassidy

Gwewyr ac unplygrwydd
y ferch â'r llais fel eos,
gwewyr ym mhlethiad dyrys y gân
pan syrth dail yr hydref
fesul un.

Dagrau yn y gorfoledd,
goroesiad yn y cwymp,
a'r gallu i weld meysydd o aur
heb ddim yn mennu arnynt –
ddim hyd yn oed cwmwl du ar belydr X.

Yn ei llais
costrelir y meysydd tragwyddol
o fewn cyrraedd i bawb,
ac yn yr amser prin ar ôl
troediwn, sawrwn,
a dawnsio yn y caeau aur.

Tu Hwnt i'r Afon

Cofio mynd i aros
yn ffermdy'r drysau isel,
tiwnio o'r dref i rywbeth yn fy nghefndir innau,
at y gŵr â'r wên fel cae o wenith melyn,
y bardd ar y tractor
a ddotiai bob dydd
at ei filltir sgwâr.

Ym mhen eithaf y Cwm
roedd y byd arall hwn
a oedd rywsut yn nes at yr Awdur bythol;
yma roedd gofod i fynegi'r cariad
mewn englyn a phennill.

Tu hwnt i'r afon.

Ac fel hyn y bydd hi
y tu hwnt i'r afon,
pawb y tu hwnt i raniadau,
heb fesur a phwyso faint yn fwy y gellir ei ennill,
neu pa mor rhinweddol neu beidio yw person,
dim cecru,
ond rhyfeddod bardd am bob bore newydd.

Fydd enwadau'n golygu dim
y tu hwnt i'r afon,
a fydd yr Adeiladau ddim yn bwn
y tu hwnt i'r afon,
a byddwn oll mewn un adeilad gwyn
y tu draw i Aberth bryn
y tu hwnt i'r afon.

Andreas

(Gwerthwr gwyliau Ynys Zakynthos)

Canai gân Robbie Williams rhwng siarad:
'I want to feel real Love . . .
cause I've got so much love
running through my veins
. . . going to waste.'

Mae'n rhoi'r sbectol dywyll, dywyll yn ôl ar ei wyneb
i'w ddiogelu rhag realiti'r dydd,
ond drwy'r tywyllwch fe welir llygaid caredig.

Andreas ifanc, dywyll,
tywyllach fyth o dan y siêds,
â hiraeth ganddo am 'adref' –
Romania'r traethau palmwydd tywodlyd
ar stepen drws y tŷ.

Yma gwertha draethau cragennog Zakynthos,
yr hen draethau caregog,
llawn ogofeydd yr hanner addewid o weld crwban môr.
Dim byd fel y traethau sydd gartref.

Siaradwn o dan balmwydd o ymbarél *'Suntours'*
ar gwr y pwll gwneud,
lle mae bît y caneuon diweddaraf yn boddi.

O dan y sbectol dywyll, dywyll
roedd hiraeth dwysaf y gwerthwr gwibdeithiau
â'i enw Groegaidd gwneud.
Ond y tu ôl i'r gwydrau du,
mor ddu, mor ifanc,
mae traethau aur Romania
ar stepen drws ei deimladau agos,
yn ymestyn yn felyn o hyd.

Yma gwertha 'Wlad Groeg' i ymwelwyr ifanc Laganas,
a chipio cariad lle gellir ei gael,
ond yn ei galon, pan dynna'r sbectol dywyll,
mae o'n gwybod fod y traethau gartref yn well,
yn anhygoel,
a gwell ansawdd o gariad i'w gael yn rhywle arall.

'So much love . . . going to waste . . .'

Gyrra arian adref i'w fam yn rheolaidd,
a gobeithia fedru dychwelyd yno un dydd
a chael bod yn Florin eto.

Eglwys Kalamaki

(Ynys Zakynthos)

Eglwys fach y cyrion,
y tu ôl i'r bariau twristaidd diweddaraf.
Eglwys â'i charpedi yn cael eu sychu
allan yn yr haul.

Dau ifanc ar eu beiciau'n ceisio
tynnu dŵr o'r ffynnon yn daer,
dŵr ar gyfer gwibdaith beiciau'r dydd efallai
ar ddiwrnod mor chwilboeth.

Roedd y gorchwyl hwn
yn fwy sylfaenol,
yn dawelach hanfodol,
fel ffynnon ddofn mewn tir hysb,
er mwyn dyfrio bedd arbennig yn y fynwent.

Fe wyddent hwy am bwll a oedd ddyfnach.

Y beddau gwynion Groegaidd hynny
sy'n awgrymu
bod mwy o oleuni wedi gadael y byd hwn.

Ieuenctid yno'n dyfrio,
amynedd i godi dŵr clir o ffynnon.

Cyn
iddynt ailgydio yn y beicio hegar, gwyllt
ifanc
yn ôl tua chanol Kalamaki,
a'i genod ifanc ganol dydd.

Dros y Môr

(I Kefalonia)

Y môr yn wyllt,
fel petai Odyseus yn croesi drachefn o Ithaca.

Symud efo'r asur bownsiog
yng ngwres yr haul clên
a theimlo'n un â'r greadigaeth
ym mlas yr heli ar wyneb.

Ymryddhau i rythm dawns y don.

Fe'th deimlais Di'n agos,
fel hogyn bach eisiau bod
yn ddiogel rhag y tonnau.

Glas

(Ogofeydd glas Llyn Melisani, ger Sami, Kefalonia)

Glas fy nghrys haf,
glas golau clir y dŵr,
ogofeydd o lesni amrywiol,
a thrwyddo i gyd
y glesni ymlaciol hwnnw
yn treiddio hyd gnewyllyn ein bod.

Boddaf yn y glesni mwyn tra bo modd.

Glesni'r bryniau,
glesni'r cylchoedd y tu hwnt i gylchoedd,
o draddodiad
ac o ddyfnder.

Pob arlliw o las
hyd at gyfansoddiad dwfn y llygaid hyn
a gostrelodd y glesni hwn
ar gyfer y dyddiau llwyd,
gan geisio gyrru'r cwch at y glas dyfnaf.

Craig Paul

(Areopagus, Athen)

Ar y graig syml hon y pregethodd Paul
gyda haul y bore ar ei dalcen,
yn edrych dros ei ysgwydd dde ar yr Acropolis,
ac i lawr i gyfeiriad teml Zeus.
Yma y daeth i dystio i Grist, ei Graig yntau.

Craig lithrig i bererinion y presennol,
sy'n sgleinio bellach fel marmor llyfn.
"I sure hope Saint Paul was secure on his feet,"
meddai clochdar uchel yr Americanwyr.

Paul,
yn sicr ei gam ar y graig erwin.

Porth Zeus

(Athen)

Talpiau o adeiladau a cholofnau
yn gorwedd yn ddisylw
i drafnidiaeth y dydd,
yn sibrwd eu hen gyfrinachau.
"Mae Lasauros wedi tyfu i fyny'n sgipio
rownd porth Zeus."
Y cyfan mor syml â dodi llaw ar ysgwydd
i rywun a fu'n cerdded er pan oedd yn blentyn
yn nhiriogaeth teml Zeus, gerllaw'r Plaka.

Pan gerdda'r ymwelydd heibio
try'r cŵn yn gŵn Annwn, neu gŵn o Hades
yn ymlid hen rithiau at y groesfan gyfoes
lle gallant groesi'n ôl at ruthr y traffig heddiw.

Cael dy ddal rhwng dau fyd,
ar ynys yn y canol,
a chyn iddi nosi'n llwyr
cael goglais traed Zeus,
dan gysgod yr Acropolis ar y bryn.

Ffordd y presennol â'i drafnidiaeth ddi-baid
fel afon Stycs yn amgylchynu,
a ninnau heb y cychwr Caron heno.
Heibio chwyrlïa bysus, tacsis, gyrwyr blin, mopedwyr.
Ond o fewn tafliad carreg
tawelir sŵn pob trafnidiaeth,
ac mae'r cŵn yn gorwedd,
yn noswylio ger porth Zeus.

Dwy Diva – Fenis a Torcello

Fenis

(Sgwâr San Marco, Venezia, yn y bore bach)

Yn gynnar ceir bwrlwm o sgubo,
mae'r ferch yn coluro,
yn golchi blinder neithiwr ymaith,
ac mae'n ymbincio
a thwtio ar gyfer ymosodiad arall
o dwristiaid dyddiol y fferi.

Rhaid plesio'r edmygwyr bob tro.

Ysgubau yn ymlid rhedwyr cynnar,
pobl yn sibrwd wrth eu cŵn bach,
gwestai yn llwytho nwyddau o gychod bownsiog
cyn dyfod y giwed gyntaf o'r gondolwyr
i chwarae eu rhan yn hudoliaeth dinas
am grocbris mor dywyll ag un o'r camlesi cefn, llonydd.

Cyn gosod y disgleirdeb o amgylch ei llygaid
cewch eistedd am ddim
ar seddau caffi'r sgwâr,
ac ordro brecwast i un heb bianydd.
Clywir alaw naturioldeb llanw a thrai,
a cheir cyfle i garu'r actores
yn fwy ac yn fwy, wrth iddi baratoi.

Clychau Maggiore a San Marco
yn ddigon i ddeffro'r meirw
yn eu hymryson am oruchafiaeth
am hanner awr wedi chwech,
yn rhagflaenu ymddangosiad cyntaf
hen *diva* yn ôl i'r llwyfan.

Rhaid golchi ffenestri drudfawr siopau Mercuria
cyn i Venezia wynebu'i chynulleidfa ddyddiol.

Blaswch ddistawrwydd y bore bach,
cyn yr orfodaeth i berfformio
i'r dorf eiddgar a ddylifa
ar fysiau dŵr o ben draw'r byd
â sioncrwydd y rhyfeddu cyntaf yn eu cerddediad.

Dyma un seren nad yw byth yn methu ei chiw
na'i chyfle i blesio ei chynulleidfa.
Ni fedr adael i'r masg lithro,
a dim ond hi'i hun sy'n cofweini.

Ond mae rhai yn mynnu dychwelyd
i fentro y tu hwnt i fasgiau.

Gweld y seren yn y bore bach.

Torcello

Mordaith i ben eithaf y lagŵn
i ddianc rhag gormodedd
o eglwysi cyforiog yn diferu aur.

Cyfareddol yw canu un gloch unigol Torcello
am hanner dydd.

Torcello ar ei ben ei hunan,
yma yn y dechreuad,
Torcello a dystiodd i'r mwd droi'n wareiddiad
yn y Bae.
Torcello, a welodd ben draw pethau.

Dadrith y trai,
gweld bri byrhoedlog yn llithro i ddwylo eraill.

Torcello,
wedi-troi'r-gornel-o-le;
Torcello
sydd wedi dygymod â chwymp ac urddas,
lle unwaith y bu mawredd yn marmori.
Torcello,
yma y canfyddwn wraidd y cyfan
heb 'run mwgwd.

Mae'n gwybod yn y bôn
mai hi a roddodd ddechreuad
ar Venezia
a'i thyrau draw ar y gorwel.

Dysgodd fodloni a mwynhau.

Torheulo yn yr haul drwy'r dydd.

Torcello.

Dychwelyd

Gydag alaw *Boogie Wonderland* yn un glust,
lagŵn yw lagŵn i'r cychwr,
ac mae Mestre yn gymaint o dwll ag y bu erioed.

'Get down, boogie oogie oogie . . .'
yn cael ei lyncu
gan y lagŵn enfawr,
sy'n oeri wedi gwres y dydd.

Ar noson loer olau
twristiad arall ydwyf
yn cyrraedd Fenis o'r dŵr.
Ond iddo ef, dŵr yw dŵr,
ac fe'i gwelodd o ganwaith.

Yna daw cysgodion yr eglwysi
a'r tyrau i'r golwg drachefn
ac er ei fod o'n adnabod y camlesi fel cledr ei law,
mae'n arafu'n ddigon parchus i minnau ryfeddu.

Camlesi wedi dal eu tawelwch
ers y tro diwethaf;
camlesi a'u cyfrinachau tywyll, araf,
a ffenestri agored yr hwyr
yn croesawu'r dieithryn cyfarwydd yn ôl.

Anunion

(Scola San Rocco, Venezia)

Gallaf blygu pen yma.

Mosaiciau ysblennydd dan draed
yn anunion
wedi llanw canrifoedd cred.

Llyfnder cadarn,
anunion
y gelfyddyd a gynigiwn yn gyfnewid i Ti.

Murlun dy Groes,
sydd wedi tawelu'r canrifoedd yma
fel y criw bach wrth y Groes.
Mae Mair yn anwylo'r croesbren islaw,
fel minnau'r munudau hyn

Er bod y nos yn ddu
a'r picellau wedi eu hanelu,
mae llond llaw sy'n dal yn driw
yn galaru, yn llewygu
ar ddaear anunion.

Bît y Lido

Gwallt pigog a *shades* du,
mae'r ifanc hwn isio mwy ar y ffyn clust
na phedwar tymor Vivaldi.
Wedi'r cyfan, mae o yn ei wanwyn.

Dydi'r *i-pod* o hyd
ddim yn ddigon uchel iddo fethu
â chlywed dirgryniad ei ffôn symudol
a'r negeseuon testun,
yng nghanol dwndwr y bws dŵr ddiwedd pnawn
ar ei ffordd adre o'r stondin gwerthu geriach Venezia.

Try'r lefel yn uwch yn ei glustiau –
curiad y Lido.
Mae o ar ei ffordd yn ôl at fywyd!
Sgipio trac neu ddwy,
curiad y Lido, ei gartref,
lle gwelir olwynion, a cheir, a phethau felly!

Caffi Stryd Gefn

(Pietro Panizzolo, Venezia)

Ogof o brysurdeb,
lleisiau'n uchel rydd,
cyd-chwerthin a chyd-alaru.
Gwên a *"Buon Giorno"* i unrhyw *touritico* a fentra yno,
fel gwobr am fedru dod o hyd i'r lle
yn y labyrinth y tu ôl i grocbris ganol dydd San Marco.

Yma
daw gondolwyr am ginio di-serenâd,
i gael brechdan yn y llaw.
Mae pawb yn nabod pawb yma

a'r *"Ciao"* yn dod o'r galon
fel petaent yn eich cofio chi
ers y tro diwethaf.

Yma daw gondolwyr
i ymlacio a thynnu'r het rubanog,
tra bo drama fawr ddyddiol Venezia
yn paratoi at ail act.
Yma gwelir wynebau
wedi eu crasu ers eu maboed
gan haul y lagŵn.

Yma mae enaid Venezia
yn curo'n ddiffuant
heb orfod gwneud argraff,
dim ond bodoli.

Mi ffeindian nhw gadair wrth fwrdd y galon
i hen selogion
yn Pietro Panizzolo,
ac fe rydd y weinyddes olwg i chi wrth ffarwelio
yn gymysgedd o gymell i chi ddychwelyd,
a gofalu peidio â dweud wrth ormod am y gyfrinach.

Eglwys Salute

(Eglwys enwog lluniau o Fenis)

Rhaid cadw pen yn y cyfan,
rhaid cadw urddas yn y drin,
hi yw'r eglwys sydd ar bob un o'r cardiau post,
Eglwys Salute.

Hi sy'n cael cysgod y bore;
ac aur y nosweithiau'n oddaith,
adlewyrchiadau ar ei chromen
fel tomato aeddfed ar blât bore'r gwesty.

Fe saif drwy bob storm
ac fe ddeil ei chyfaredd.
Mae'n dal i fod yno
yn dal gwres machludoedd.

A phwy a all brisio adlodd
y cywain distaw hwn heno
yng ngaeafau llwyd y gorlifo
pan fydd y pla yn ein bygwth?

Dychwelyd y Crysau

"Mae arna i ofn, ddaru pethau ddim datblygu
fel yr oeddwn wedi disgwyl,
fydda i ddim eu hangen nhw fel yr oeddwn i'n meddwl.
Ydi hi'n bosib i mi gael fy mhres yn ôl,
neu eu cyfnewid am nwyddau yn y siop?"

Gwn fod gen i waith arall i'w wneud drosto Fo,
ond nid yn y llyffethair hon.

Doedd y crysau ddim wedi eu hagor
hyd nes i mi lwyddo yn yr arholiadau;
rhyfedd na ddaeth ysfa ynghynt
i mi eu trio amdana i,
gweld sut roeddynt yn gweddu.

Doeddwn i ddim wedi torri'r sêl,
ac euthum â nhw yn ôl i'r siop,
un glas ac un du,
yr holl ffordd i Gaerdydd,
y cyswllt olaf yn y gadwyn hon
yn cael ei thorri
gen i.

Ar y groesffordd gerllaw
gwelais hen ffrind ysgol o'r Gogledd,
ond ni allwn esbonio pam yr oeddwn yng Nghaerdydd
na sôn am gynnwys y pecyn wrth ddychwelyd i'r siop.
Chwarae teg, ni holodd yntau chwaith
beth yr oeddwn yn ei wneud yn y ddinas,
dim ond pasio ar y groesfan, a'r dyn ar wyrdd.

"Mae'n ddrwg gen i, ond ddaru pethau ddim datblygu yn y modd roeddwn i
wedi disgwyl . . .
Dydw i ddim wedi eu hagor nhw."

Yn chwys diferol yn y caffi drws nesa
fel actor yn ymarfer fy llinellau,
does neb yno'n deall fy mod i wedi dod ar y fath siwrnai,
a fy mod i'n teimlo'n hollol ddiwerth
ac yn gymaint o gachgi.

Dychwelyd y crysau –
y rhai hefo'r goler gron arnynt –
y crysau a fyddai wedi fy mowldio
i'r Gweinidog roeddent yn ei ddymuno.

Cyrraedd

(Caerdydd)

Bwyd chwim,
lôn chwim,
pacio-cymaint-i-mewn chwim,
Caerdydd.

Ysgaru wedi gweld teulu'r hen gynefin,
caledu a gosod masg
ar gyfer y ddinas fawr ddrwg.
Y rhyddid a'r unigrwydd,
y wên sydd ar ei hanner.
Gwylia dy gefn,
Caerdydd.

Rhywbeth amdanat sy'n denu,
fel cwmni merch ddrwg atyniadol;
fel rhyddid ar ôl maes eisteddfod,
rhywle lle y gall Cymro ddianc, a bod yn fo'i hunan.
Ffoi rhag gorfod achub cymunedau'n dragywydd,
creu rhai breuddwydion.

"Nyni sy'n creu breuddwydion gwên y Gymru newydd,"
mor swynol ag adlewyrchiadau o'r tai swel ar Lyn y Rhath.
Y gwacter tu ôl i'r wên i'r camera,
agenda cudd Caerdydd.

Peiriant creu delwedd
i fechgyn bach ofnus sy'n cnoi ewinedd
cyn eu troi'n gewri o flaen camera neu feicroffôn.
Genod y genedl i gyd yn creu llinell
i gael creu delweddau'r cyfrwng,
oll â'u hanes oddi mewn,
ond yn dewis ei fygu.
Byd yn llawn bitsys bach caled trist.

Gwagle ac unigrwydd y fflat,
y cwmni'n cilio

98

tan y cyfle nesa,
dieithriaid drws nesa,
y drafnidiaeth ddidostur,
yr hyn na feiddir ei gydnabod.
Gwacter fel y delweddau llachar ffals a grewyd
a'r Bae a'i adlewyrchiadau'n pwyso heno,
Caerdydd.

Ar y sgrin fawr ger y Castell,
bwrlwm Gŵyl o'r Bae,
ond er ei fod o'n nwyfus ac yn egnïol
un neu ddau sy'n ei wylio o'r gysgodfa fws
ar eu ffordd 'nôl adre i Drelái
a'r traffig di-hid yn boddi unrhyw felodïau.
Caerdydd.

Hudoles na allwn wneud hebddi,
a'i gafael am emosiynau ifanc.
Chwiliaf am fywyd naturiol
mewn rhyw gilfach o Landaf neu Fynachdy,
y bywyd hwnnw
sy'n gorfod bod yn drech na'r ffalster hwn,
Caerdydd.

Cyrhaeddaf
y fflat unig,
dychwelyd i'r bywyd real, anodd, blêr
cyn bod yn barod i greu mwy
o fwgwd Caerdydd,
creu'r hud,
parhau'r mythau.

Heibio i unrhyw gyfrifoldeb bellach,
gwibio heibio i Sain Ffagan ein gorffennol.
Ni bellach sy'n creu Caerdydd,
y Gymru Newydd
a'n hadlewyrchiadau ar y Bae.

Caerdydd,
y cwestiwn sydd i'w ateb ynof,

yr ateb heb ei ganfod.
Caerdydd y 'cyrraedd', y 'gwneud hi'
yn fy mhen bach i;
y 'dangos iddyn nhw' 'nôl adre.
Fy myd bach powlen bysgod fy hun
sy'n dryloyw i eraill ei chwenychu,
ond a all falu'n deilchion
fel adlewyrchiadau ffenestri'r fflatiau
ar y Bae heno.

Dim llygaid caredig yn wyneb y môr heno,
dim ond dotiau Penarth yn ddyhead draw,
am ryw hen berthyn a fu
unwaith, ymhell dros y bryn.

Caerdydd,
yfory fe baratown ni'r hwyl a'r miri
drachefn ar setiau teledu;
unwaith eto rhoddwn ein prydferthwch ar ei hallor
o dan lifolau botocs a throslais Caerdydd.
'Fel nas gwelwyd erioed o'r blaen, ar gefnlen y Bae,
yma'n disgwyl amdanoch . . .'

Caerdydd,
yma er eich mwyn.

Breichiau

(Crist yn Ei Ogoniant, Eglwys Gadeiriol Llandaf)

Adfent 2001

Dim ond pum munud
oddi wrth y drafnidiaeth a'r rhuthr
i weld y Crist tawel
yng nghanol ein Nadolig heiplyd, sgleiniog.
Mae cysgod drosto heddiw mewn lled-dywyllwch
â'i freichiau ar led.

Y canrifoedd
wedi cronni yma
yn cynnal Adfent
o ddisgwyl tawel.

Crist yn dy ogoniant,
beth wyt ti'n ei ofyn gennyf?
Ai croesawu a chymell yr wyt,
neu baratoi i'th roi dy hun yn aberth dros y byd?

Mae dy lygaid yn syllu fry
at fan nad ydym ninnau ar hyn o bryd
ond yn medru
dychmygu ei drem,
ei orwelion.

Yn llipa
a chadarn yr un pryd
rwyt yn teyrnasu â deddf anwyldeb.

*   *   *

Haf 2002

Â cheirios yr haf dan draed
dof atat eto.
Dwi'n gwybod nad wyt yn meddwl dim llai ohonof.

101

Rhaid i mi fod yn rhydd i wneud dy waith.
Os wyt ti'n fy hoelio i'r llawr
dwi'n peidio â byw,
ac yn syml yn bodoli.
Mae'n rhaid i mi fedru hedfan.

Fel tithau yn dy ogoniant, yma.

Yng ngolau dydd sylweddoliad haf
rwyt Ti'n gwybod y byddaf yn dal i wneud Dy waith
er nad yn y rhigolau arferol,
ond drwy freichiau o gerddi ac adenydd llên
sy'n estyn ymhell oddi yma.

Mae dy olwg yr un mor daer,
dy drem yn bell,
yn gweld y gorwelion,
a minnau am ymateb efo'r hyn sydd gen i,
yn hytrach na'r hyn nad oes gen i o gwbl.

Defnyddia'r hyn sydd gen i
i'w gynnig.

*   *   *

Nadolig 2002

Y breichiau parod yn y distawrwydd dwys,
y breichiau ar led
a'r dwylo wedi eu hoelio.
Mae pobman wedi'i oleuo o dy gwmpas heddiw,
maent yn dathlu dy ddyfodiad,
gan dy adael Di
fry
yn ddigyswllt yn y tywyllwch llwyd.
Mae heidio am y lliwiau dengar yn y ffenestri siopau
draw.

Ti ddylai fod yn y llifolau.

Y breichiau'n croesawu ac eto'n herio
yn y distawrwydd parod
lle nad oes rhuthr masnachol yr ŵyl.
Rwy'n gyfforddus ac anghyfforddus
yr un pryd
yn aros yma efo Ti.

Rwyt Ti'n dal i hongian yn y tawelwch,
y distawrwydd dwfn, dwys
sy'n cymell tua'r llwybr amgen,
yn dal i hongian y syniad ym meddyliau pobl
pan ddônt yma am ennyd
o'u prysurdeb.

Yn hongian y syniad yn ein meddyliau hunanol
bod mwy na'r marwol,
hoelio arnom fod mwy na'r ymgreinio arwynebol
a hunan-foddhad.

Yn dal i hongian yn ein hymwybod,
ac ar gyrion ein cyfnod.

Mae prysurdeb dinas yn hisian gerllaw,
heb fedru trywanu'r distawrwydd hwn
na disodli'r egni a ddeillia
o'r breichiau llwyd.

Unwaith y Flwyddyn

Dwi ddim yn dod yn aml rwan
draw i'r capel yn y dre.
Unwaith y flwyddyn a deud y gwir.
Mae 'na ddigon yno,
'dyn nhw ddim yn sylwi a ydach chi yno neu beidio
pan mae'r Achos yn gryf.

Dwi'n gwybod mai dynol ydan ni i gyd
ond mae'r label 'dynol'
yn gallu gadael i bob math o bethau ddigwydd hefyd.
Does ryfedd nad oes dim cynnydd ar y capel ymhlith yr ifanc,
a mwy o gwmnïaeth a chodi arian
yn y dafarn ar draws y ffordd!
Gweld Cristnogion yn trin ei gilydd fel'na.
Beth mae eu crefydd yn ei olygu iddyn nhw mewn gwirionedd?

Ond heddiw dwi am fynd draw.

Y plant sy'n cyflwyno stori'r Nadolig cyntaf,
y plant bach annwyl
na wnaent ddrwg i unrhyw un.
Dim ond chwerthin yn yr ymarferion neu gadw sŵn
yn yr eiliadau cyforiog.

Y llafn bychan hwn o ddiniweidrwydd
sydd ar ôl yn ein byd
a all fy nghynnal tan y tro nesaf,
achos mae 'na rywbeth
am hanes y Nadolig gan y plant
sy'n ein llorio ni i gyd.

Ond am y gemau gan y 'plant mawr' weddill y flwyddyn,
cywilydd arnyn nhw!

Ac yn ystod *Clywch Lu'r Nef*
mi adawa' i i'r gweddill ganu,
a syllu ar burdeb llygaid y plant,

y rhai tlws yn eu gwisgoedd afrosgo.
Mair flinedig yn dylyfu gên
a'r Indiaid Cochion a ddaeth hefyd at y crud erbyn hyn!
Y meddyliau bach pur
sydd heb fod isio brifo pobl.
Fe fydda i'n ceisio cofio eu hedrychiad am hir
fel gwiwer yn hel briwsion ei gaeaf.
Ac mi fydda i'n meddwl mai yn fan hyn
mae hanfod credu i mi,
tra bo diniweidrwydd yn parhau.

Achos roedd 'na burdeb ym mhob un ohonom unwaith,
gan fy nghynnwys i.

Consuriwr

Llafnau ifanc y siopa hwyr
yn swnllyd ac eiddgar am unrhyw gam gwag ganddo,
eu traed yn solat ar sglein y parth cerddwyr.
Taflwr y fflamau
yn herio lledaeniad nos
yn y penllanw siopa hwyr.

Llewyrch yn herio'r nos;
fel y deffrôdd seren Bethlehem
y gwlybaniaeth gynt
yn llygaid hen fugeiliaid blinedig.

Mair a Joseff yn Spar

Mae Mair a Joseff
i lawr yn Spar 'Eight till late'
yn c'nesu byrgar gaws
ym meicrodon y munudau.

Mae'r streicwyr bws yn eu hogof
ger tân eu penderfyniad
yn clustfeinio am ystyr,
chwilio am lewyrch i'w ffurfafen.

Fe dybiech y gallai'r ffatri freuddwydion
o stiwdio deledu gynnig rhywbeth ar noson unig.
Ond dim ond goglais ego'r delweddau
sydd yng ngwacter goleuadau'r gwydrau.

Dim diddordeb 'Newyddion'
yn hen stori Mair a Joseff yn Spar.

Ac eto hwy sydd â'r atebion
a all ddinoethi eu masgiau ffug
petaent ond yn edrych i'w cyfeiriad,
a'u cydnabod.

Darlleniad Nadolig
(yng Nghapel Eyton, Dug Westminster)

Canhwyllau'n diferu ar ein pennau
yn yr eglwys
fel y darlleniadau ar y gynulleidfa niferus.

Ac wedi'r darllen, hel atgofion.
Vi yn sôn am gyfarfod â Roy
y tro cyntaf hwnnw wrth far y Theatr Fach,
ac fe gofiai mor gryf oedd arogl ei ôl-eillio.
Bellach mae Roy yn rhestru ei glefydau,
cofio'i benwythnosau pen-blwydd meddwol,
ac am wneud ei 'bit' dros elusen.
Mor hyfryd oedd y *Magnificat* heno.

Croesi'r ffin yn ôl i Gymru,
Vi a Roy yn sôn am benblwyddi'n
un ar hugain, tri deg, deugain,
a hanner cant draw yn fan acw ar y gorwel
bron â chyrraedd dros Gyrn y Brain.

A sylwi fod y cyfan drosodd
mewn amrantiad,
fel cŵyr yn meddalu am ein pennau.

Yr Ysbaid

Bore Dydd Nadolig yn y Ganolfan Siopa,
mor dyner,
mor ddistaw,
mor hynod ddisiopau;
bagiau gwag yn chwythiad yr awel,
mor dyner,
mor wag,
mor newydd,
mor ffres
ag anadliad tyner plentyn,
cnawd bach newydd.

Yn y tynerwch hwn
yn dilyn y gyrru cyfoes
mewn ceir a bysus a threnau
yn deuluoedd yn heidio am y siopau,
yn y gwacter newydd
cawn gyffro posibiliadau'r dydd newydd hwn.

Yfory bydd gyrru ar hyd y gwythiennau
yn powndio'n ôl i Poundland,
ac arian yn llosgi mewn pocedi,
yr arwerthiant mawr,
bargeinion a drefnwyd cyn y rhuthr gwreiddiol.

Ond fe fyddwn wedi cael
heddiw
yr ysbaid,
yr hoe,
yr ystyried byr a oes mwy na hyn.

Llithro Heibio

Paid â gobeithio am ormod, cariad,
dim gormod:
dyddiau'r cofleidio a'r cusanu rhydd
a giliodd.

Yn y delweddau ifanc, ymwthgar,
diffyg cwrteisi'r driniaeth anweledig,
dydi rhywun fel fi
ddim hyd yn oed yn cyffwrdd â'u byd.

Gwylio ar yr ochrau,
gwylio'r bywyd 'ma
maen nhw wedi ei gipio mor hyderus,
heb wybod yn iawn beth i'w wneud efo fo.

Teimlo ei fod o i gyd wedi mynd heibio,
ein bod ni wedi cael y cynnig,
y brathiad yna o'r afal,
ac wedi llwyddo neu fethu.

Dydi'r hen hud,
yr hen sglein rownd y llygaid,
ddim yn gweithio
fel yr arferai wneud.

Llygaid heddiw yn gyforiog
o ddistyll dadrith diarth.
A'r bodloni a'r dofi hen hwnnw
ar yr hyn sydd gennym.

Fel gadael i'r llwyd ddangos yn y gwallt,
teimlad yn nwfn bodolaeth
fod y cyfan rywsut, ysywaeth,
wedi llithro heibio.

Wimbledon

Bob Wimbledon
deuai Anti Gwyneth
yn fwg sigarét a siesta,
bwyta allan, a napyn yn y prynhawniau,
a phrynu *hake* i de.

Chwerthin bob tro y dywedai:
"That Tracy Austin
is so lovely I could eat her,"
ac fel y soniai am groesi *Herwen*,
mewn acen fabwysiedig, yn hytrach na'r Hirwaun hardd.

Rhannai Gymrâg Aberdâr
efo hen bobl y siop Gemist yn unig,
fydden ni'r Gogs ddim yn deall, ta beth.
Dywedai *"Quite"*
wrth gytuno'n dyner â phopeth
fel cwpan de orau fregus.

"New Balls, please,"
ond hen yw'r trawiadau
fel yr hir, hir waun hardd honno y dychwelai drosti
ar derfyn defod flynyddol.

Tiny Tears

Clywais iddi roi doli *Tiny Tears*
yn gwmni yn yr arch ifanc, fechan.
Dagrau ffug bychan
lle'r oedd ei rhai hi –
y fam –
yn fawrion,
yn erydu gwaelodion ei bod,
yn sigo ei ffydd hyd y garw.

Ei phlentyn yn rhannu arch
â doli'r dagrau ar amrantiad.
Ond byddai dagrau'r fam
yn gysgod am oes,
i'w taenu ar yr adegau dethol hynny
pan mai dim ond dagrau sy'n gwneud y tro.

Tân Gwyllt

Rhyw dân siafins yn y glaw ar ôl y sbloet
mae pobl yn ei weld,
wedi rhuthr y gwreichion, a'r sbarclyrs.

Y person unig
yn crwydro yn y cysgodion
dan y coed
a'r diferion glaw yn hisian
ar weddillion y tân.

Wedi'r chwerthin
mae'r stondinau'n dymchwel,
a'r coed yn diferu
yn y tywyllwch.
Syllu i lygad y fflam
mor gynnes fel mae'n rhaid
troi'r wyneb oddi wrtho.

Suddo sydd raid eto i fwd y cyrion,
lle datgymelir reid y ffair.

Wrth i'r parti fynd adre
fi yw'r dyn dan y coed
sy'n cerdded tra bo'r coed yn dal i ddiferu.
Siafins y noson yn llosgi'n wyn bellach,
yn gwneud y tro
am dipyn eto.

Angel y Gogledd

(ar yr A1 yn Gateshead)

Edrychais fry
a gweld Angel ger Gateshead
yn dalsyth yn wyneb pob cwmwl posib
a ddaw dros y rhostir i herio'r Hen Ogledd.

Dacw ti,
Angel y gogledd.
Llifa'r drafnidiaeth heibio i ti
heb syllu nemor ddim
ar dy ymgais am sadrwydd a chydbwysedd
uwch y draffordd.

Ond mae digon o rychwant
yn dy adenydd tawel
a digonedd o drugaredd dan dy esgyll heno
i gofleidio pawb,
ac i ganfod arlliw'r haenen aur
y dywedir ei bod ynghudd ymhob cwmwl.

Lindisfarne

Ciw annisgwyl ar lonydd gwlad
yn disgwyl i groesi i Lindisfarne.
Disgwyl i hen lanw'r greadigaeth droi'n drai,
gorfod plygu i rythmau naturiol y cread.

Ambell un am oddiweddyd.
Fe'u clywir yn ceisio cysur ar ffôn symudol:
"This is madness. I've never seen anything like this."
Ond nid gorffwylltra yw plygu i rymoedd daear
a rhoi o'r neilltu'r ffôn symudol
a bywyd lôn chwim y draffordd a rwyga drwy'r tir.
"What's the score? I can't be waiting here forever!"
a'r llanw'n chwerthin wrth i ddynoliaeth geisio
parselu Duwdod i'w drefnusrwydd poced.

Yna yn ei amser ei hun
y llanw'n caniatáu
yr orymdaith araf, osgeiddig o geir,
wedi'r ildio i'r sylfaenol bethau
a oedd yma yn nyddiau'r pererinion,
cyn adeiladu ffordd.

Yna'r gyrru araf a gosgeiddig
fel hen bererin
dros dywod amser at dwyni'r Ynys Sanctaidd draw
at yr anrheg sydd yn dal yno yn ei dawelwch,
yn dal heb gael ei ddiffinio
gan yr oes hon.

Dal yno ar y gorwel.

Lindisfarne.

Y Boi 'Na

(Cerflun o Grist, *Ecce Homo*, yn Oriel Glynn Vivian, Abertawe,
ar ôl bod yn Sgwâr Trafalgar adeg y Milflwyddiant)

Rwy'n boen i awdurdodau'r oriel yn tynnu fflach-lun ohonot.
Rhaid llenwi ffurflen.
Addo nad wyf am baparatseiddio *Ecce Homo*.

Rwyt Ti ychydig yn dalach na mi,
a phetai dy lygaid ar agor,
byddet yn syllu arnaf,
â saethau yn fy holi'n ddwys.

Fe wisgi'r goron ddrain yn ymlaciol barod.

Safaf yno
yn disgwyl i'r llygaid agor
i gynnig arlliw o arweiniad i mi.

Dwyt Ti ddim yn dy orfodi dy hun arnaf
er bod cyfrinach y cread
yn dawnsio dan dy lygaid caeëdig.
Medraf gyffwrdd â'r creithiau os mynnaf.

Hogan fach yn ceisio dal yn dy law yn reddfol,
gwragedd yn oedi'n hwy yn ôl eu harfer;
a'r ifanc yn rhyfeddu atat yma –
a thithau wedi dod yn un ohonom ni,
yn ôl yn arwr drws nesa.

"'Drycha! Dacw'r boi 'na!"

Darnau

(Ffenestr ym Mhlas Newydd, cartref boneddigesau Llangollen)

Darnau o ffenestri
a gasglwyd o gae Glyn y Groes,
a'u gosod yma yn ffenest Plas Newydd.
Fel darnau o fywyd drylliedig,
gwaharddedig y ddwy a ddaeth yma
i sefydlu cyfannedd.
Ar ôl dryllio mowld
uchelwrol Wyddelig-Seisnig,
fe'u gosodwyd ym Mhen y Maes ger Cyflymen,
yng 'Nglyn Cyfeillgarwch' chwedl Wordsworth
a alwodd am de, dim ond yr unwaith.

"Dwi 'di cael lot allan o'r ffenestr 'na,"
meddai llais o'r presennol gan syllu
ar y darnau a gribiniwyd o gaeau glyn Egwestl.
Mae hi mor falch fod bywyd ei mab
yn dechrau gludo at ei gilydd,
fel y ffenest ym Mhlas Newydd,
yn blethwaith o wydrau chwâl.
Wedi blynyddoedd o siglo'n ddiamcan drwy'i ddyddiau
roedd hi'n falch fod bywyd Gwilym
yn asio'n ôl at ei gilydd.

Bellach daw i ddarlleniadau barddoniaeth gyda hi,
mynycha gwrs coleg
wedi canfod grŵp lle mae o'n perthyn,
y darnau yn disgyn i'w lle.
A dychymyg bardd o fam
fel y darnau bach o bapur i gyd yn ei phocedi
yn dechrau cyfannu,
a'r gwreichion yn dechrau dangos eu lliw eto
fel y ffenestr a fu gynt ar chwâl.

Gwilym yn dal i wella.

Emyn

Geiriau Cymraeg i'w canu ar y dôn 'Brynffynnon'.
Gweler *Detholiad 1997-1998*, t. 22)

Pan gawn weled gwyrth y cread,
  A'i ryfeddod nos a dydd;
A phan dreiddia ei orfoledd,
  Crist yn wrthrych mawr ein ffydd:
  O'r gogoniant!
  Crist yn wrthrych mawr ein ffydd!

Pan gaiff baban fu mewn preseb
  Ddôr i'r galon oer drachefn,
Cilio wna yr hen, hen ofnau,
  Hedd a chariad inni'n gefn.
  O'r gogoniant!
  Hedd a chariad inni'n gefn.

Pan fo galar yn ein llethu
  Gyda'i gur a'i hiraeth trist;
Pan fo byd yn cynddeiriogi,
  Mae adferiad gyda Christ.
  O'r gogoniant!
  Mae adferiad gyda Christ.

Pan ddaw gair ein Duw i'n galw,
  Oll i'w deyrnas yn gytûn;
A marwolaeth wedi'i choncro,
  Trwy awdurdod Iesu'i hun:
  O'r gogoniant!
  Sy'n awdurdod Iesu'i hun!